L'ILIADE
et
L'ODYSSÉE

Texte français de Dominique Chauveau

Publié par Les Éditions Tormont Inc.
338, rue Saint-Antoine Est
Montréal, Québec, Canada H2Y 1A3
Tél. (514) 954-1441
Fax (514) 954-1443

ISBN 2-921171-71-6

Imprimé en Italie

Imprimé par Officine Grafiche De Agostini S.p.A.
Relié par Legatoria del Verbano S.p.A.

L'ILIADE
et
L'ODYSSÉE

L'ILIADE

page 7

_____

L'ODYSSÉE

page 81

L'ILIADE

TORMONT

Une terrible dispute éclate entre Achille et Agamemnon.

CHANT I

Pendant neuf ans, la guerre fit rage aux pieds des murs de Troie. Pendant neuf ans, Grecs et Troyens étaient engagés dans un terrible combat sans que ni les uns, ni les autres ne remportent une victoire décisive. Pendant neuf ans, des hommes s'étaient battus et étaient morts.

Il y eut une trève. Mais des Grecs mouraient malgré tout. Ils étaient atteints d'une étrange maladie pour laquelle on ne connaissait aucun traitement. C'était un signe manifeste de la colère d'Apollon. Mais pourquoi une telle fureur?

— Pourquoi? s'inquiéta Achille, le roi des Myrmidons, le plus fort de tous les guerriers. Calchas, notre prêtre et prophète, donne-nous-en la raison. Pourquoi le dieu Apollon nous persécute-t-il de la sorte? En quoi l'avons-nous offensé?

Le silence tomba sur l'assemblée des princes grecs, et Calchas, le visage sombre et le front plissé, répondit :

— Apollon veut punir celui qui a pris pour esclave Chryséis, fille de Chrysès — le prêtre choisi par le dieu offensé. Chrysès, tu t'en souviens, est venu t'implorer de lui rendre sa fille, mais il s'est

buté à un refus radical. C'est pour cela qu'Apollon nous punit.

Ces mots furent accueillis par un murmure général, et tous se tournèrent vers Agamemnon, le chef suprême des Grecs. C'était lui qui maintenait captive la belle Chryséis, et il n'en tenait qu'à lui de calmer le courroux d'Apollon en permettant à la jeune fille de rentrer chez son père. Mais personne n'osait parler. Personne, sauf Achille, qui lui dit :

— Seigneur, tu dois faire ton devoir. Il faut rendre la fille à son père.

— La rendre? demanda Agamemnon avec hauteur. Moi, le chef? Je peux le faire, il est vrai, mais à une condition. En retour, je veux une esclave aussi jeune et aussi belle que Chryséis. Et je sais où la trouver.

— Tu penses peut-être à Briséis, ma propre esclave? demanda Achille, troublé.

— Précisément. Et si tu ne me la donnes pas, je devrai te la ravir!

Achille sentit une colère terrible l'envahir, et c'est avec beaucoup de peine qu'il réussit à se

contrôler et à contenir son envie de tirer son épée. Tremblant de rage, il répondit :

– C'est donc ton désir? Tu veux m'enlever celle pour qui j'ai combattu! Les Troyens ne m'ont jamais fait de mal, ils ne m'ont jamais offensé et je me bats contre eux! Et pour qui? Pour toi, lâche! J'ai quitté mon pays, je suis venu ici et j'ai risqué ma vie parce qu'un Troyen, Pâris, avait enlevé Hélène, la femme de ton frère! Tu as dit que l'offense faite à Ménélas était une offense faite au peuple grec et nous t'avons tous écouté! Nous sommes venus à Troie et nous avons combattu — et moi, plus que n'importe qui d'autre! C'est ainsi que tu me récompenses?

Dans un silence glacial, Achille poursuivit :

– Fais attention, Agamemnon. Si tu m'enlèves Briséis, je refuserai de combattre. Je rentrerai en Grèce avec mes hommes!

– Rentre, si tu as peur! Nous continuerons à nous battre sans toi! hurla Agamemnon.

Pendant un moment, ce fut comme si Agamemnon et Achille allaient se sauter à la gorge, mais Nestor, le plus âgé et le plus sage des grecs, leur parla d'un ton sévère.

– Calmez-vous, tous les deux! Ne voyez-vous pas que vous ne faites que favoriser les Troyens en agissant de la sorte? Agamemnon, tu ne peux pas enlever Briséis à Achille. Toi, Achille, tu dois faire preuve de plus de respect envers le roi!

Ces mots étaient sages, mais vains. Achille quitta l'assemblée avec mépris et se retira dans son campement.

Peu de temps après, deux messagers d'Agamemnon vinrent chercher Briséis au campement. Achille ne souleva aucune objection. Il ordonna à Patrocle, son ami le plus cher et le plus loyal :

– Va chercher la fille!

Blême, Achille regarda Briséis s'éloigner en larmes.

Quelques jours passèrent, et un bateau grec entra dans le port de Chrysè. Ulysse, roi d'Ithaque, s'avança vers la rive et rendit solennellement Chryséis à son père.

– Voilà ta fille, Chrysès — maintenant, demande à Apollon d'épargner les Grecs!

– Je le ferai, répliqua le prêtre. Venez, transportons les sacrifices nécessaires!

Achille regarde les messagers d'Agamemnon amener Briséis, en larmes.

8

Pendant ce temps, Achille était aux prises avec une colère terrible. Ses compagnons ne l'avaient encore jamais vu dans un tel état. Après avoir longuement versé des larmes amères, il arpenta, en jurant et en tremblant de rage, le rivage de la mer déchaînée. Soudain, il fit face à la mer et cria :

– Mère! Mère! toi qui m'a mis au monde — même si ce n'est que pour un court instant — écoute-moi! Ils m'ont offensé, ils m'ont humilié!

Il cria et sanglota encore jusqu'à ce que Thétis, sa mère divine, émue par la détresse de son fils, surgisse des flots où elle vivait. Elle alla vers lui et lui dit :

– Mon enfant, pourquoi sanglotes-tu?

– Tu en connais la raison, mère. Je t'en supplie... aide-moi à me venger. Tu es une divinité.

Va voir Zeus, le père de tous les dieux, et demande-lui d'aider les Troyens, de leur assurer la victoire afin que les Grecs puissent se rendre compte que, sans moi, ils n'ont aucune chance de gagner la guerre! Oh, mère! Je t'en supplie, écoute-moi! S'il te plaît, aide-moi!

Après en avoir fait la promesse, Thétis s'envola vers Olympe, la montagne sacrée où les dieux étaient rassemblés. Elle supplia Zeus de l'aider à venger l'honneur et le chagrin d'Achille. Zeus, le visage sombre, l'écouta. Cette longue guerre l'inquiétait et divisait les dieux. Finalement, il répondit :

– Thétis, je ne peux rien te refuser. Qu'il en soit comme tu le désires. Les Grecs devront payer chèrement l'injure qu'ils ont faite à ton fils!

Faisant face à la mer, Achille appelle Thétis, sa mère.

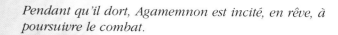

Pendant qu'il dort, Agamemnon est incité, en rêve, à poursuivre le combat.

CHANT II

La nuit vint à tomber. Tous les hommes dormaient et les dieux aussi, sauf Zeus. Dans sa tente, Agamemnon dormait, lui aussi, lorsque, descendant tout droit du ciel, un rêve se glissa jusqu'à lui et lui murmura à l'oreille :

– Tu dors, Agamemnon, même si tu commandes une armée et une flotte! Écoute-moi, je suis l'envoyé de Zeus. Il parle par ma bouche. N'hésite plus! Rassemble tes troupes et marche sur Troie. Battez-vous; vous gagnerez. Ainsi en ont décidé Zeus et tous les dieux. Agamemnon, la victoire est à toi. Prends-la!

Le rêve s'envola et Agamemnon s'éveilla, profondément impressionné. Ainsi, les dieux avaient pris leur décision. Il devait attaquer sans plus attendre : la victoire était assurée. Il s'habilla, boucla la ceinture de son épée et saisit son sceptre. Il ne pensa pas un seul instant qu'en lui envoyant un rêve et en l'incitant à la guerre, Zeus voulait humilier les Grecs, comme il l'avait promis à sa bien-aimée Thétis. Agamemnon convoqua donc tous les princes pour les entretenir du rêve qu'il avait fait.

– Préparons-nous, dit-il, pour une bataille décisive. Mais tout d'abord, afin de mettre nos soldats à l'épreuve, je devrai leur annoncer que la guerre est terminée, que nous avons perdu, que nous ne réussirons jamais à conquérir Troie et que nous devons abandonner le campement. Lorsque j'aurai terminé, ce sera votre tour. Chacun de vous devra parler et exhorter ses hommes à rester, à combattre, et leur rappeler que l'honneur de la Grèce est en jeu et qu'ils ne peuvent pas accepter la défaite.

– Je suis certain, conclut-il, que cela les inspirera à combattre ardemment et à gagner. Je suis sûr que, demain, Troie sera à nous comme me l'a affirmé le rêve que Zeus lui même m'a envoyé.

Donc, quelques instants plus tard, toute l'armée grecque était réunie en une grande assemblée. Un immense silence se fit lorsque Agamemnon arriva.

– Soldats, cria le roi, neuf années se sont maintenant écoulées depuis que nous avons accosté sur les rives de Troie. Neuf années, et nous n'avons pas gagné. Je vous avoue que j'ai perdu tout espoir de victoire. Cette guerre n'a que trop duré. Regagnons nos navires! Résignons-nous à la défaite et rentrons en Grèce!

Un silence total se fit parmi les soldats, comme s'ils ne croyaient pas ce qu'ils entendaient, puis un grand murmure s'éleva de l'assemblée.

– Nous rentrons! Nous rentrons chez nous!

Tous se mirent à courir vers les navires. Dans un mouvement de grande confusion, les tentes furent jetées à terre, les abris démantelés, et quelques hommes étaient déjà embarqués sur les navires, alors que d'autres se lançaient à la mer.

– La Grèce! La Grèce! Nous rentrons!

Ulysse s'avança, courut vers Agamemnon, lui arracha le sceptre des mains et le brandit en s'adressant aux plus vaillants chefs et soldats.

– Êtes-vous devenus fou? s'écria-t-il. Où allez-vous? Où courez-vous? Ne comprenez-vous pas que lui, le roi puissant, vous punira si vous partez? Arrêtez! Revenez! L'honneur de la Grèce est en jeu!

À ces mots, plusieurs arrêtèrent de courir et se rendirent soudain compte qu'ils avaient commis un acte de lâcheté. Plusieurs sautèrent en bas des navires et retournèrent au lieu d'assemblée. Parmi ceux qui étaient prêts à partir, Thersite — le plus horrible et diabolique de tous les Grecs — cria et protesta plus fort que tous les autres.

– Que faites-vous? Pourquoi vous arrêtez-vous? cria-t-il en courant de ci, de là. Qu'avez-vous à vous soucier d'Agamemnon et de son frère, Ménélas? Qu'avez-vous à vous soucier de l'honneur d'Hélène? Rentrons et laissons ces rois qui n'en valent pas la peine!

Furieux d'entendre ces paroles, Ulysse le frappa avec son sceptre et le fit tomber au sol. Thersite, le pleurnicheur, essaya de se protéger des coups, et les soldats autour de lui éclatèrent de rire en disant :

– Ulysse a fait des choses merveilleuses, mais de faire taire ainsi Thersite est la plus formidable de toutes!

Ensuite, Ulysse monta sur l'estrade et s'adressa aux guerriers qui s'étaient attroupés autour de lui.

– Grecs, il est vrai que nous sommes ici depuis neuf ans, mais c'est une raison de plus pour rester et lutter jusqu'au bout! À quoi auront servi tous nos efforts? À quoi aura servi la mort de nos compagnons si nous fuyons? Nous aurions rompu notre serment et déshonorerions notre nom! Non, Agamemnon, nous ne t'abandonnerons pas! Personne, ajoute-t-il, ne songe à rentrer, pas avant d'avoir pris Troie! Pas avant d'avoir vengé l'honneur d'Hélène et l'honneur de la Grèce! Alors, conclut-il d'un ton menaçant, si l'un d'entre vous est assez stupide pour vouloir partir, qu'il aille sur son bateau, mais qu'il sache qu'au lieu d'échapper à la mort, il la rencontrera sur-le-champ.

De l'estrade, Ulysse exhorte les soldats à lutter pour la victoire.

11

Les deux armées sur le champ de bataille, prêtes à s'affronter.

Au milieu du silence, Agamemnon s'avança.

– Mes amis, au nom de la Grèce, préparons-nous à l'attaque finale! Oui, la victoire est à nous! Rassasiez-vous, puis aiguisez toutes les épées et les lances. Que chacun regagne ses rangs et rejoigne ses compagnons et son prince. Nous attaquerons et nous n'arrêterons pas tant que nous ne serons pas dans Troie!

Une grande clameur accompagna ces mots et, quelques heures plus tard, les Grecs se dirigèrent en formation de bataille vers la ville. Ceux qui le pouvaient avaient fait des offrandes aux dieux et prié pour que la mort les épargne. Mais ils étaient tous déterminés à se battre et à mettre fin à cette guerre qui avait duré trop longtemps. Dans un cliquetis de fer, l'armée grecque marcha au combat, à travers les plaines vertes traversées par les fleuves Simoïs et Scamandre (que les dieux appelaient aussi Xanthe) qui s'étendaient devant Troie.

Pendant ce temps, un rassemblement se déroulait à Troie. Les Troyens étaient réunis autour de Priam, leur roi vieux et sage, et discutaient de la guerre et de ce qu'ils pouvaient faire pour y mettre fin. La discussion fut soudain interrompue par

une sentinelle qui se précipita à l'intérieur de l'enceinte.

– Mon Roi! Mes frères! cria-t-il. Les Grecs arrivent!

Immédiatement, Hector, chef des Troyens et fils de Priam, se leva en s'écriant :

– À vos postes! Dispersez-vous! Soyez prêts à quitter la ville!

Tous se ruèrent alors sur leurs armes, pendant que les plus vieux, les femmes et les enfants se rassemblaient sur les remparts.

Les trompettes sonnèrent, les chevaux se mirent à piaffer et les hommes se déplacèrent en rangs tandis que les portes s'ouvrirent toutes grandes. Une à une, les divisions affairées sortirent et s'alignèrent pour livrer bataille autour de Batiée, une hauteur escarpée, isolée dans la plaine. Les deux armées se faisaient face sur le champ de bataille. Un tel déploiement de forces ne s'était encore jamais vu. La bataille, qui était sur le point de commencer, allait peut-être décider du sort de la guerre.

Cependant, parmi les princes, un des chefs manquait. Achille, le Grec le plus craint et le plus brave, était resté dans sa tente.

12

Tandis que les deux armées se rapprochaient l'une de l'autre, Priam ordonna à Hélène de le rejoindre sur les remparts.

– Tu m'as envoyée chercher? lui demanda la très belle femme pour qui tant de sang avait coulé. Que désires-tu, ô père et roi?

– Je veux que tu me nommes les chefs grecs un à un. Qui est cet homme à l'armure étincelante qui marche à leur tête?

– C'est Agamemnon, mon beau-frère, le chef suprême des Grecs.

– Et ces deux hommes qui dirigent des divisions aussi importantes, qui sont-ils? L'un d'eux est aussi grand qu'un géant, l'autre est plus petit, mais plus large d'épaules.

– Le premier est le très puissant et vaillant Ajax, fils de Télamon. L'autre, c'est Ulysse, roi d'Ithaque.

Des remparts de Troie, Priam et Hélène surveillent l'armée grecque.

Pâris et Ménélas se battent en duel pour décider du sort de la guerre.

— Et celui-là, si noble et si fier? demande de nouveau Priam.

Troublée, Hélène répondit :

— C'est Ménélas, mon mari, à qui Pâris, votre fils, m'a enlevé.

Au même moment, Pâris en personne se détache des rangs des Troyens. Pâris, qui avait déclenché cette guerre en enlevant Hélène, avait fière allure dans son armure éclatante. Il regarda les Grecs avec arrogance, comme s'il voulait tous les défier. Mais lorsqu'il aperçut la haute silhouette de Ménélas parmi eux, toute son audace disparut. Il s'arrêta, baissa sa lance et rejoignit humblement ses compagnons.

Hector, qui avait tout vu, s'exclama avec mépris :

— Pâris! N'as-tu pas honte de ta conduite? Tu as marché, majestueux, la tête haute, en avant de tous. Tu semblais prêt à t'attaquer seul à l'armée grecque tout entière, mais dès que tu as vu Ménélas, tu as chancelé et ton cœur s'est mis à battre. C'est pour toi que nous nous battons, ne l'oublie pas!

Blessé par ces paroles dures, Pâris répliqua :

— Non, mon frère! Je ne l'oublierai pas. J'avoue que j'ai eu peur, mais ce n'était qu'un moment de faiblesse. Écoute-moi : je vais m'avancer et provoquer Ménélas en duel. Lui et moi, seuls, combattrons et déciderons ainsi du sort de cette guerre. S'il gagne, rendez-lui Hélène, et que la guerre soit terminée. Si c'est moi qui gagne, alors les Grecs devront partir.

Hector ordonna ensuite à chacun de s'arrêter. Dans un bruit d'armes et dans des nuages de poussière, les Troyens s'immobilisèrent, en formation de bataille. Les Grecs en firent autant. Agamemnon s'avança seul et cria :

– Hector, que veux-tu? Pourquoi t'arrêtes-tu? Veux-tu te rendre?

– Tu ne pourras jamais espérer une telle chose, répond Hector. Pâris provoque ton frère Ménélas en combat singulier! La Grèce d'un côté, Troie de l'autre. Le gagnant décidera du déroulement de la guerre. Acceptes-tu?

Agamemnon accepta. Et tandis que les deux armées se tenaient en rangs, sans bouger et sans faire de bruit, Pâris et Ménélas s'avancèrent l'un vers l'autre. La guerre de Troie aurait très bien pu se terminer ainsi. Brandissant leurs lances, les deux hommes s'affrontèrent. Pâris fut le premier à frapper. Il projeta sa lance qui siffla vers son adversaire. Ménélas leva son bouclier et para le coup. Puis, à son tour, il projeta sa lance et frappa le bouclier de son ennemi. Au même instant, les guerriers dégaînèrent leurs épées et s'élancèrent l'un vers l'autre. Dans le lourd silence, on n'entendait que le son métallique des lames. Pâris était le plus jeune et le plus fort des deux, mais il n'était pas aussi brave que Ménélas dont la soif de vengeance gonflait le cœur et augmentait la force. Ménélas se battit avec tant de hargne que son épée se brisa contre le bouclier de Pâris.

Un murmure s'éleva parmi les spectateurs. Ménélas était désarmé, Pâris pouvait facilement le tuer. Mais non. Avant que le jeune Troyen ait pu se déplacer et attaquer, Ménélas s'élança vers lui et, à mains nues, le saisit par le casque et le tira de toutes ses forces. Pâris voulut réagir, mais la sangle l'étranglait; son épée lui tomba des mains. Ménélas tira encore et encore, jusqu'à ce que la sangle se brise et qu'il tombe au sol, le casque vide entre les mains. Il se redressa sur ses pieds en reculant, ramassa sa lance et, dans un cri, fonça en avant pour tuer son adversaire tant détesté… mais Pâris n'était plus là. Il avait disparu.

Aphrodite, la déesse de l'amour, qui avait toujours protégé le jeune prince troyen, l'avait protégé une fois de plus au moment critique. Elle l'avait enveloppé d'un nuage de poussière et l'avait emporté. La lance de Ménélas s'enfonça dans le sol.

Plus de doute : le Grec avait gagné. Les Troyens s'en rendirent compte et reculèrent en silence. Alors Agamemnon s'avança et leur cria :

– Grecs! Troyens! Écoutez-moi. Vous avez tous assisté à la victoire de Ménélas! En vertu de notre accord, Hector doit nous rendre Hélène. Que la paix règne dorénavant!

Agamemnon demande le retour d'Hélène.

15

Les dieux se rassemblent pour discuter du destin de Troie.

CHANT IV

Pendant que tout cela se passait sur la plaine, les dieux tenaient une fois de plus une conférence au sommet de l'Olympe. Zeus dit, en fronçant les sourcils :

– Athéna et Héra sont du côté de Ménélas, mais ils se contentent de le surveiller et de sourire. Mais toi, Aphrodite, tu es descendue sauver Pâris même s'il avait été défait et, de ce fait, méritait la mort. Je suis las de cette guerre. Finissons-en. Laissons Hélène rentrer avec Ménélas et que tout soit terminé !

En entendant ces mots, Héra répliqua :

– Non, je ne veux pas de paix tant que Troie ne sera pas détruite !

– Quel tort t'ont fait Priam et ses fils pour que tu veuilles tous les détruire ? Méfie-toi, Héra. Si tu veux que Troie soit détruite, il se peut qu'un jour je doive détruire une ville qui te soit chère !

– Qu'il en soit ainsi, si c'est ce que tu désires ! s'exclama la déesse en colère. Tu peux même détruire Athènes, Sparte ou Argos, les cités que j'aime. Je ne m'opposerai pas à ton désir, mais ne t'oppose pas au mien. Maintenant, laisse-les rompre la trève et reprendre le combat. Athéna, c'est à toi de jouer. Pense à quelque chose! Je veux que Troie soit détruite.

Athéna quitta rapidement l'Olympe et descendit sur Terre tout juste après qu'Agamemnon ait demandé à Hector de respecter leur accord. Prenant l'apparence de Laodocos, un guerrier Troyen, la déesse alla voir Pandaros, un archer très adroit qui manquait rarement ses cibles, et lui murmura :

– Pandaros, n'hésite pas. Si tu aimes Troie, si tu veux être honoré, si tu veux gagner cette guerre par toi-même, alors tire! Le moment est bien choisi! Regarde, Ménélas est encore seul à l'endroit où le duel a eu lieu. Tue-le d'une flèche! Tu peux le faire et tu récolteras toute la gloire! La guerre est terminée! N'hésite pas!

Pandaros était un homme d'honneur et un homme courageux, mais les paroles d'Athéna l'avaient impressionné et influencé. Oui, les pactes avaient été solennellement établis entre Agamemnon et Hector, mais il valait la peine de les rompre si, d'une seule flèche, la guerre pouvait se terminer et Troie, être sauvée.

Sans se faire voir, Pandaros arma son puissant arc d'une longue flèche, visa, tira sur la corde et la relâcha… La flèche aurait traversé l'air en sifflant et transpercé le cœur de Ménélas si Athéna — aussi rapide qu'un éclair — ne l'avait distrait. La flèche atteignit le prince au côté, transperça son armure cloutée, coupa sa ceinture de cuir et s'enfonça dans sa chair. Ménélas émit un faible cri et tomba à genoux. Le sang coulait déjà sur le sol. Soulevés par la colère et l'indignation, les Grecs s'unirent en brandissant leurs armes.

– Trahison! Trahison! hurlèrent-ils tandis qu'Agamemnon se penchait sur son frère couché sur le sol.

– Allez chercher le médecin Machaon et dites-lui de venir immédiatement! Entre-temps, préparons-nous! Les Troyens paieront pour cela! Non, mon frère, ajouta-t-il en voyant que son frère tentait de retirer la flèche de son côté, laisse Machaon s'occuper de ça. Tu ne devrais pas mourir de cette blessure et tu devrais pouvoir te battre de nouveau!

D'une flèche, Pandaros blesse Ménélas et rompt ainsi le traité de paix.

Les autres princes grecs se précipitèrent tandis que toute l'armée s'avança, menaçante. La bataille était sur le point d'éclater.

Pendant ce temps, un messager s'était empressé d'aller chercher Machaon, fils d'Asclépios, le grand médecin.

– Viens vite, lui dit-il. Ménélas a été blessé par une flèche. Tu dois le sauver!

Machaon se penche au-dessus de Ménélas qui est blessé.

Machaon s'empressa d'aller dans la plaine où Ménélas reposait, le sang suintant de sa plaie. Ses amis s'étaient regroupés autour de lui pour le protéger et le réconforter. S'étant frayé un chemin parmi eux, Machaon se pencha sur Ménélas, saisit fermement la flèche et, d'un geste bien déterminé, la retira de la chair.

– N'aie pas peur, Ménélas, dit-il. La plaie n'est pas aussi profonde que tu le penses.

Ensuite, il enleva la ceinture et l'armure de Ménélas.

– Je vais bander ta plaie, lui dit-il.

– L'ennemi arrive! s'écria soudain un soldat.

En effet, les Troyens, menés par Hector, s'avançaient, prêts à attaquer. Ils avaient espéré, bien sûr, que la guerre se serait terminée par l'issue du duel entre Pâris et Ménélas. Tous n'approuvaient pas le geste de Pandaros! Mais puisque la flèche avait été lancée, que le sang avait coulé et que le traité de paix avait été violé, il était clair qu'ils devaient de nouveau se battre. Et ils se battraient à n'importe quel prix pour défendre Troie. Même si Pâris était un guerrier lâche, il valait la peine de se battre pour une femme aussi belle qu'Hélène.

– En avant, mes amis! cria Hector en brandissant son épée. Notre destin dépend de cette bataille!

En entendant ces mots, Agamemnon dégaina son épée étincelante et laissa Ménélas aux bons soins de Machaon.

– Laissez venir les Troyens! Ce n'est certainement pas aux Troyens qui rompent un traité de paix que Zeus accordera son aide! cria-t-il.

Avant de monter dans son char de guerre, auquel étaient harnachés deux chevaux splendides et agités, le roi passa ses troupes en revue et leur parla ainsi :

– Le moment est venu, fils de la Grèce! C'est maintenant que notre destin sera décidé! Si nous gagnons, nous pénétrerons dans Troie; si nous perdons, l'ennemi atteindra notre campement, incendiera nos bateaux, et nous perdrons tout espoir de regagner un jour notre pays.

– Ulysse, je compte sur toi! poursuivit Agamemnon. Idoménée, roi de Crête, sois fort dans la bataille! Ajax, fils de Oïlée et toi, Ajax, fils de Télamon, mes héros, si j'avais plus de chefs aussi courageux que vous, la guerre aurait été gagnée depuis longtemps! Nestor, mon ami, bats-toi à mes côtés! Diomède, dresse-toi sur ton char et combats avec vigueur! Frères grecs, allons-y! Au combat!

CHANT V

Les deux armées s'alignèrent l'une en face de l'autre, menées par les chefs qui se dressaient de toute leur grandeur sur leurs chars. Les guerriers criaient et agitaient leurs lances tout en avançant. Leurs boucliers brillaient au soleil et le bruit de leurs armes s'élevait dans le ciel. Même avant que les deux armées se soient rencontrées, une pluie de flèches s'abattait sur les guerriers adverses, et quelques soldats étaient touchés à mort ou blessés. Mais cela n'arrêtait pas les autres. Telles les vagues amenées par la mer qui viennent s'écraser contre les récifs, reculant et s'avançant à nouveau dans un puissant grondement, les rangs des Grecs et des Troyens s'affrontaient. Les Troyens avaient Athéna contre eux, et ils le savaient, mais ils savaient aussi que Arès, dieu de la guerre, était de leur côté. En fait, les dieux qui étaient descendus de l'Olympe prirent part à la bataille, certains pour tuer ou répandre la terreur, d'autres pour sauver des vies ou réconforter les mourants. En effet, bon nombre de guerriers avaient une divinité soit comme père, soit comme mère. Cette guerre se faisait autant dans les cieux que sur la plaine qui s'étendait des grandes murailles de Troie jusqu'à la mer.

Les boucliers se frappaient les uns contre les autres, les lances se croisaient, et les hommes bardés de fer et ceinturés de cuir en vinrent aux coups. L'air qui, quelques instants plus tôt, renvoyait l'écho des cris et des insultes, était maintenant rempli de plaintes et de cris de lamentation, de triomphe ou de défi. Les voix se mêlaient, celles des mourants et de ceux qui tuaient, des vainqueurs et des vaincus. Phégée, fils de Darès, fut le premier à tomber sous la lame de Diomède qui transperça le jeune Troyen en pleine poitrine. Il tomba au milieu d'un épouvantable cliquetis de bronze. Autour de son corps, la furie de la bagarre s'amplifia, parce que, dans cette guerre, les morts étaient dépouillés de leurs armes, et c'était un déshonneur amer que de laisser le corps d'un compagnon aux mains de l'ennemi.

Il aurait été trop long de faire la liste de tous les princes, guerriers ou simples soldats qui moururent dans cette bataille. Après le premier combat, il semblait que les Troyens allaient reculer sous l'assaut de l'ennemi, lorsque la voix d'Apollon se fit entendre au-dessus du champ de bataille.

— Troyens, ne reculez-pas! De quoi avez-vous peur? La chair des Grecs n'est pas faite de pierre ou de fer qu'il soit impossible de la blesser! Souvenez-vous qu'aujourd'hui Achille n'est pas du combat. En avant! En avant!

Les Troyens contre-attaquèrent et, dans le sang et la poussière, le trépignement des chevaux et le grincement des chars, sous une pluie de flèches et de lances, Arès d'un côté et Athéna de l'autre, s'injuriaient. Lasse, Athéna s'écria soudain :

— Arès, toi qui massacres les hommes dans la bataille, viens avec moi! Retirons-nous de cette lutte, cessons de nous battre! Ne réveillons pas la colère de Zeus, notre père!

Tout en parlant, elle saisit la main de son frère brutal et le conduisit sur les rives du Scamandre. Là, tous deux s'arrêtèrent, essoufflés et maculés de sang.

La bataille, par contre, continuait à faire rage. Diomède, un des plus vaillants princes Grecs, emporté par l'héroïsme, se jeta avec plus d'acharnement sur les Troyens qui, sous la fureur de ses coups, furent à nouveau obligés de reculer.

Diomède, tel un ruisseau en crue, détruisait tout sur son passage et était incapable de se contenir. Mais Pandaros, le même qui, peu de temps auparavant, avait traîtreusement blessé Ménélas, ne broncha pas à la vue de Diomède. Il ajusta une flèche sur son puissant arc et ne manqua pas sa cible. Cette flèche atteignit Diomède à l'épaule et ce dernier, tombant à genoux, dut s'arrêter. Des acclamations de triomphe s'élevèrent et les Troyens reprirent leur attaque. Mais l'invincible Diomède refoula la douleur et la faiblesse.

— Sthénélos, ordonna-t-il à un compagnon, retire la flèche de ma plaie afin que je puisse retourner au combat! Et toi, Athéna, rends-moi ma force et laisse-moi tuer l'homme qui m'a blessé!

La flèche fut retirée et, même s'il saignait beaucoup, Diomède retourna au combat.

Le champ, couvert de guerriers morts, était rouge de sang. Deux des fils de Priam, Chromios et Echémmon, qui avaient combattu côte à côte dans le même char, tombèrent entre les mains de Diomède, furieux. Ils furent terrassés, tués et dépouillés de leur armure.

Ensuite, Énée, roi de Dardanie et fils d'Aphrodite, convoqua Pandaros.

– Pandaros, appela-t-il, nous devons arrêter Diomède! Grimpe dans mon char et sauvons-nous!

Pandaros s'approcha en courant et cria :

– J'ai déjà terrassé ce boucher; maintenant, je dois le tuer! Conduis le char, je prends la lance.

À toute allure, ils traversèrent le champ de bataille et foncèrent droit sur Diomède.

Sthénélos les vit arriver et s'écria :

– Diomède, recule! Énée et Pandaros te cherchent! Tu es blessé, ne t'expose pas!

Diomède ne prit pas garde et se tint courageusement debout pour que, lorsque Pandaros projetterait sa lance sur lui de toutes ses forces, il soit capable de parer le coup.

– Il l'a manqué! cria Diomède qui voulait se venger avec sa lance. Il transperça la gorge de Pandaros qui tomba mort de son char. Énée était prêt à protéger le corps de son ami, mais Diomède souleva une énorme pierre et la lui lança, lui écrasant la jambe. Énée tomba à genoux et serait certainement mort sous la lance ensanglantée de son ennemi si Aphrodite n'était venue à sa rescousse, le cachant sous un pli de son voile.

Mais même une déesse ne pouvait arrêter Diomède, qui, en criant, poursuivit Aphrodite et lui coupa le poignet d'un coup de lance.

Cette splendide déesse hurla de douleur, et le guerrier lui cria :

– Va-t'en! C'est la guerre, et si tu voulais voir à quoi ça ressemblait, tu le sais maintenant!

Dans un tourbillon, Aphrodite, en larmes, retourna sur l'Olympe. Elle tremblait et saignait, mais elle avait sauvé d'une mort certaine son cher Énée.

La force de Diomède lui venait d'Athéna qui, après avoir retrouvé son souffle, était revenue une fois de plus dans la bataille. Arès l'avait immédiatement suivie, se précipitant pour aider les Troyens.

– Pendant combien de temps permettrez-vous un tel massacre? leur demanda-t-il. Énée est blessé. Voulez-vous le laisser entre les mains de l'ennemi?

Stimulés par ces mots, les Troyens lancèrent une contre-attaque désespérée. Hector fonça dans son char, se frayant un chemin parmi l'ennemi jusqu'à Énée qu'il déroba aux Grecs.

La bataille entre les Troyens et les Grecs fait rage.

Énée était en piètre état, mais il était encore capable de combattre.

Cependant, une fois de plus, les Troyens furent contraints à la retraite et se virent obligés de reculer sous les remparts de Troie.

Un des fils de Priam, le vaillant Hélénos, qui s'était battu toute la journée au front, s'approcha d'Hector et lui dit :

– Mon frère, les choses se gâtent. Nous n'avons pas encore perdu, mais nous sommes si près des portes de Troie que quelqu'un pourrait essayer de pénétrer à l'intérieur des murs de la ville — et ce pourrait être un désastre. Énée et toi devez exhorter les hommes à poursuivre la bataille, et ils le feront. Mais, Hector, cela n'est pas suffisant. Tu dois entrer dans la cité et dire aux femmes les plus âgées d'offrir à Athéna la plus belle robe qu'elles trouveront. Elle doit cesser d'être notre ennemi !

Hector acquiesca et, avec Énée à ses côtés, se rendit au front, incitant ses hommes à la bagarre et les invitant à résister. Puis il se précipita dans Troie par la porte qu'on ouvrit pour lui.

Hécube et les Troyennes font offrande à Athéna de leur robe la plus précieuse.

CHANT VI

Maculé de sang, couvert de poussière et trempé de sueur sous son armure bosselée, Hector atteignit le palais du roi Priam. Il montait les marches quand Hécube, sa mère, se précipita à sa rencontre.

– Hector, mon fils, es-tu venu prier Zeus afin qu'il nous supporte dans cette bataille? Oui, tu le dois! Mais, avant, bois ce vin, il te désaltérera. Tu es épuisé, je le devine!

– Non, noble mère, ne m'offre pas de vin. Je préfère ne pas boire à Zeus, les mains couvertes de sang. Et le vin prive un homme de ses forces. Mais écoute-moi. Rassemble tes filles, tes belles-filles et les dames nobles de Troie et faites cadeau à Athéna de ta robe la plus précieuse. Promettez-lui que chaque année, nous lui offrirons douze de nos meilleures vaches. Priez pour qu'elle garde Diomède à l'écart du combat. C'est lui qui nous détruit! Faites-le maintenant, ô ma mère! Je vais voir Pâris.

Après avoir parlé, Hector s'empressa d'arpenter les couloirs et les splendides pièces du palais. Peu de temps après, Hécube aidée d'autres femmes, déposa solennellement devant la statue d'Athéna la robe la plus riche qu'elle possédait. Elle promit à la déesse courroucée de nombreux et de riches sacrifices.

– Ô déesse, prièrent les Troyennes, brise la lance de Diomède, le massacreur.

Mais cela n'eut aucun effet; Athéna secoua la tête.

Pendant ce temps, Hector était parvenu aux quartiers d'Hélène. Il y trouva Pâris, assis paisiblement aux côtés de sa belle femme, polissant en silence son casque, son armure et son bouclier.

– Honte à toi! s'écria Hector avec reproche. Nos hommes tombent partout dans la ville à cause de toi. Et toi, que fais-tu? Tu polis ces armes que tu n'as même pas le courage d'utiliser! Debout, vaurien, cours à ton poste et bats-toi!

– Hector, mon frère, répliqua Pâris en rougissant, tu as raison, il est vrai. Vous vous battez tous alors que je demeure à l'intérieur, mais sois patient, essaie de me comprendre. Je cherchais seulement un peu de réconfort auprès d'Hélène.

De toute façon, elle m'a pressée de retourner au front. Je n'en ai que pour un instant. Ensuite, je mettrai mon armure et je me joindrai à vous!

Hélène prit alors la parole :

– Hector, je préférerais être morte plutôt que d'être la cause de cette guerre! J'ai essayé de convaincre Pâris de combattre, mais son cœur est ce qu'il est! Viens t'asseoir près de moi, beau-frère, repose-toi un peu et…

– Je ne le peux pas, Hélène! interrompt Hector. Les Troyens se battent et ils ont besoin de moi. Je voudrais voir ma femme et mon fils. Vois à ce que Pâris se prépare et retourne à son poste. Cette journée est décisive; elle pourrait signifier notre fin.

Hector accable Pâris de reproches parce qu'au lieu de combattre, ce dernier se repose auprès d'Hélène.

Hector prend Astyanax dans ses bras et prie les dieux de le rendre fort.

Sur ces mots, Hector alla voir sa femme, Andromaque.

Mais elle n'était ni dans sa chambre, ni avec Hécube et les autres femmes qui faisaient des offrandes à la statue d'Athéna. Ayant entendu que les Grecs gagnaient, elle avait amené avec elle une servante et son jeune fils, Astyanax, et s'était précipitée sur les remparts. Elle était montée en haut de la tour au-dessus de la porte de Scée qui donnait sur le champ de bataille. Hector s'empressa d'aller à sa rencontre. Dès qu'elle le vit, Andromaque courut se jeter dans ses bras, pâle et affolée.

Alors qu'Hector regardait Astyanax et souriait, elle murmura :

– Ah, toi, homme malheureux! Ta bravoure te perdra! N'as-tu donc aucune pitié pour moi, Hector, ni pour ton jeune fils? Je n'ai personne d'autre que toi au monde. Tu es pour moi un mari, un père, une mère et un frère. Aie pitié de nous, reste ici, dans la tour! Rassemble l'armée de l'intérieur de la ville sans aller te battre!

– J'aimerais bien le faire, femme, répondit Hector pensivement, mais je ne peux pas manquer à mon devoir. Je devrai peut-être mourir, mais au moins tu seras fière d'avoir été la femme d'un guerrier qui n'aura pas fui devant le danger.

Puis il ajouta doucement :

– Donne-moi l'enfant!

Il prit dans ses bras Astyanax, qui, terrifié à la vue de l'expression de son père et de son casque, émit un cri puéril.

Le héros sourit en retirant son casque puis, embrassant son fils, il dit :

– Zeus et vous, les autres dieux, faites que mon fils devienne fort et règne sur Troie. Bien des gens disent qu'il est plus fort que son père!

Puis, tendant son fils à sa femme, il s'en alla.

– Ne pleure pas, Andromaque. Si mon destin est de vivre, personne ne peut me tuer. Mais la mort nous guette tous, qu'on soit lâche ou héros, et personne ne peut lui échapper! Sois brave!

Tout en parlant, il coiffa son casque et laissa la loyale Andromaque en larmes. Il descendit de la tour et se dirigea vers la porte. Sur son chemin, il rencontra Pâris, vêtu de son armure et, ensemble, ils rejoignirent leur armée.

CHANT VII

Dès que les deux hommes eurent regagné leurs postes, les Troyens reprirent courage et avancèrent. Devant cette contre-attaque imprévue, les Grecs reculèrent. Du sommet de l'Olympe où, épuisée, Athéna s'était retirée, elle vit ce qui se passait. Elle s'empressa de se rendre à Troie où à peine avait-elle touché le sol qu'elle rencontrait Apollon.

– Athéna, pourquoi es-tu descendue de nouveau de l'Olympe? As-tu tellement hâte de voir Troie saccagée? Écoute-moi : trop de sang a coulé. Laisse-nous nous unir et mettre fin à ce massacre. Ils combattront encore, mais c'est assez pour aujourd'hui.

– Oui, Apollon, répondit la déesse. Je trouve aussi que c'est assez pour aujourd'hui. Mais comment pouvons-nous arrêter ce combat?

– Il existe un moyen. Permets qu'Hector provoque en duel un des princes grecs. De cette façon, la bataille cessera.

Athéna et Apollon discutent d'une façon de faire cesser le combat.

Les deux enfants de Zeus se mirent d'accord et incitèrent Hélène à livrer, à son frère Hector, le message suivant :

– Écoute-moi, Hector, je ne sais pas ce qui se passe en moi, mais je suis certaine que tu ne dois pas mourir aujourd'hui. Ordonne à tes hommes de s'asseoir et d'arrêter le combat. Ensuite, avance-toi et provoque un Grec en duel.

Hector acquiesca. Passant ses troupes en revue, il ordonna à ses hommes de cesser le combat et de s'asseoir sur le sol. Voyant les Troyens baisser leurs armes et s'asseoir en rangs, Agamemnon donna immédiatement le même ordre aux Grecs. Un grand silence se fit là où, quelques instants plus tôt, la bataille faisait rage. Chacun était maintenant immobile alors que peu de temps avant, les hommes et les chars se mêlaient sauvagement. Hector recula et se dressa entre les deux armées.

– Écoutez-moi tous ! L'issue de cette guerre est la victoire ou la mort. Je suis ici pour défier n'importe quel Grec qui se sent prêt à me combattre ! C'est ce que je propose, et que Zeus m'en soit témoin. Le vainqueur sera le premier à désarmer l'autre, mais il devra rendre le cadavre afin qu'on lui fasse des obsèques dignes de lui. Lequel d'entre vous accepte mon défi ?

Un long silence suivit ces mots. Hector était un grand guerrier et il combattait pour défendre son pays. Aucun Grec n'était prêt à relever un tel défi.

Un long silence lourd s'étendit jusqu'à ce que Nestor s'exclame :

– Honte à vous, ô Grecs. Aucun de vous n'aura le courage de s'avancer ? Si j'étais jeune, je défierais Hector !

En entendant les paroles du vieil homme, neuf princes grecs se levèrent, le visage rouge de honte.

Ces princes étaient Agamemnon, Diomède, Ajax, fils de Oïlée, Ajax, fils de Télamon, Idoménée, Mérion, Ulysse, Eurypyle et Thoas ; tous étaient prêts à combattre en duel. L'adversaire

Hector ordonne d'arrêter le combat et provoque les Grecs en duel.

Hector et Ajax, fils de Télamon, tirent leurs épées et combattent l'un contre l'autre.

d'Hector fut tiré au sort. Le sort tomba sur Ajax, fils de Télamon, le plus fort et le plus grand des Grecs. Lorsque Hector le vit s'avancer, cuirassé de bronze avec son immense bouclier, maniant son épée et affichant un air menaçant sur son visage, il se sentit nerveux. Mais reculer à cet instant signifiait une honte éternelle. Il se tint donc bien droit et attendit.

– Hector, cria Ajax, en s'arrêtant à quelques pas de lui, tu vois que même si Achille n'est pas avec nous aujourd'hui, nous luttons encore. Attaque en premier et commence le duel.

– Alors qu'Ajax attaque et que ce soit un combat franc!

Tout en parlant, Hector lança son épée qui alla se piquer dans le bouclier d'Ajax avec un bruit sourd. Ajax rétorqua en perçant le bouclier d'Hector d'un coup d'épée. N'ayant plus d'épées, les deux héros commencèrent à se lancer d'énormes galets.

Atteint et blessé au cou, Hector tomba à genoux, mais Apollon l'aida à se relever rapide-ment. Maniant leurs épées, les rivaux se rappro-chèrent et auraient combattu impitoyablement jusqu'à la mort si deux messagers, un Grec et un Troyen, n'étaient pas venus les séparer.

– Ça suffit, vaillants guerriers! dirent-ils. Cessez le combat. Vous êtes tous deux très braves et chéris de Zeus. Cela suffit! Il fait presque noir!

– Qu'il en soit ainsi, Ajax, dit Hector. Nous nous sommes donnés plusieurs coups. Échangeons maintenant des cadeaux afin que tous puissent dire que nous avons combattu avec acharnement l'un contre l'autre, mais que nous nous sommes séparés amis!

Sur ces mots, il tendit son épée à son adversaire et reçut la riche ceinture pourpre d'Ajax. Ainsi prit fin le duel.

Il n'y eut pas d'autre combat ce jour-là. Les heures qui restaient avant le coucher du soleil furent consacrées à la triste tâche de ramasser et d'enterrer les guerriers qui étaient tombés au combat, avec tous les honneurs qui leur reve-naient.

CHANT VIII

Un autre jour commença. Sur l'Olympe, Zeus convoqua tous les dieux. Son visage était sombre.

– Écoutez-moi tous attentivement, leur dit-il. Je vais vous dire ce que je pense et je ne laisserai personne me contredire. Ce qui survient à Troie m'inquiète et m'agace. Tout cela doit finir. J'interdis à quiconque d'entre vous de descendre aider les Grecs ou les Troyens. Je vous ai dit plusieurs fois ma façon de penser, mais personne n'en a tenu compte. Eh bien, si je vois l'un d'entre vous, quel qu'il soit, descendre sur terre pour se mêler de cette misérable guerre, je le frapperai de ma foudre. Alors, vous connaîtrez la colère de Zeus.

Ayant parlé, Zeus monta sur son char et alla au mont Ida, d'où il pouvait surveiller le champ de bataille. Impressionnés, les dieux préférèrent ne plus bouger et restèrent sur l'Olympe, silencieux et pensifs.

Pendant ce temps, au lever du soleil, les Grecs et les Troyens avaient repris leurs armes et se préparaient à une autre bataille. Bientôt, les forces adverses se rencontrèrent et les mêmes scènes sanglantes se répétèrent. D'autres morts, d'autres blessés, d'autres héros tombèrent sur le sol et furent désarmés. La bataille dura toute la matinée, jusqu'à ce que, finalement, Zeus étende ses balances d'or. Il y plaça le sort des Grecs sur un plateau et le sort des Troyens sur l'autre. Le dernier s'avéra plus lourd ce qui voulait dire que la fortune était du côté des Troyens.

Zeus lança immédiatement un éclair enflammé sur les troupes grecques, qui, terrifiées par le bruit assourdissant, s'enfuirent dans toutes les directions, avec l'ennemi sur les talons. Pendant le repli, seul le vieux Nestor resta en arrière. Il aurait été une proie facile pour les Troyens, si Diomède ne l'eut aperçu. Il fit demi-tour avec son char et, fouettant ses chevaux avec acharnement, vola à sa rescousse.

– Où courez-vous, Grecs? cria-t-il tout en avançant. Et toi, Ulysse, où fuis-tu? Ne m'aiderez-vous pas à sauver Nestor?

Ses mots se perdirent dans l'agitation et il se dirigea seul vers le vieil homme, sauta hors de son char et aida Nestor à y grimper.

Sur son char, Zeus va au mont Ida surveiller le champ de bataille.

28

Zeus lance un éclair éblouissant sur Terre, juste devant le char de Diomède.

— Nous ne devons pas nous sauver, Nestor, dit-il. Bien que tu sois âgé, je dois t'amener à la bataille. Hector verra qui nous sommes.

— Sthénélos, lança-t-il à son loyal conducteur de char. Fonce droit sur Hector!

Donc, dans la mêlée générale, Diomède retourna à l'attaque, pointant sa lance vers le cœur d'Hector. Il le manqua, mais, à la place, atteignit son écuyer. Zeus intervint alors une fois de plus et, faisant entendre un terrible coup de tonnerre, il lança un éclair éblouissant sur Terre, juste devant le char de Diomède. Les chevaux effrayés hennirent et ruèrent, et Nestor cria :

— Ah, Diomède! J'ai peur que ce ne soit là un signe des dieux! Zeus est contre nous! Retirons-nous!

— Je ne me retirerai pas! Personne ne pourra dire que j'ai eu peur!

— En effet, aucun de ceux qui te connaissent n'oseront tenir de tels propos, Diomède, répondit Nestor, avec anxiété. Mais ne défie pas de nouveau la colère de Zeus!

Finalement, le char fit demi-tour dans la poussière et retourna au campement des Grecs, pendant que les Troyens, reprenant courage, s'élancèrent en poussant des cris terrifiants, conduits par Hector qui les encourageait de son char.

— Troyens, mes frères, mes amis! Hier, la chance n'était pas de notre côté, mais aujourd'hui, nous gagnerons! Si notre esprit combatif se maintient, aujourd'hui nous envahirons le campement des Grecs et en finirons avec cette guerre! Allons! Ne perdons pas de temps! Si Diomède s'enfuit, poursuivons-le! En avant!

Tous le suivirent et aucun guerrier grec ne risqua de se retourner et de les affronter. C'était, en fait, une terrible défaite. Les Grecs ne s'étaient encore jamais enfuis d'une telle manière. Un à un ou en groupes désordonnés, ils traversèrent la tranchée qui protégeait leur campement et se réfugièrent derrière les remparts qui l'entouraient. Les Troyens les talonnèrent impitoyablement, les bombardant d'épées et de lances. En peu de temps, aucun Grec ne se risqua plus à l'extérieur des murailles.

Le campement des Grecs, les tentes, les quartiers généraux et les vaisseaux qui étaient presque à cale sèche le long du rivage étaient protégés par un mur robuste et bien construit avec de solides remparts. Les vaisseaux étaient, pour les Grecs, un élément indispensable dans cette guerre, parce que, sans eux, ils ne pourraient pas avoir d'autres armes ou de l'équipement de guerre de renfort. Mais la perte de leurs vaisseaux signifierait un désastre encore plus grand : sans eux, comment les Grecs pourraient-ils retourner dans leur pays?

Les Troyens étaient tellement pressés d'atteindre la muraille qu'ils ne prirent pas le temps de regarder le ciel et ne se rendirent pas compte que le soleil avait terminé sa course et se couchait. Lorsque les ombres de la nuit tombèrent avec une forte bourrasque de vent, Hector en demeura interloqué et surpris. Il se tourna vers la mer rougie par le coucher du soleil. S'arrêtant dans sa foulée, il immobilisa ses troupes et leur cria :

– Ça suffit, mes frères! Arrêtez-vous ici! Je voulais attaquer les vaisseaux ennemis, mais il fera bientôt noir. Nous devons respecter la nuit et cesser le combat! Cela ne fait rien, ajouta-t-il, cette fois-ci, nous ne nous replierons pas, nous ne retournerons pas à la ville, nous ne quitterons pas la terre que nous avons conquise. Envoyez un messager pour prévenir nos femmes et nos amis que l'armée restera sur le champ de bataille. Les Grecs, poursuivit-il en montrant les murailles, ne peuvent pas nous échapper. Demain, à l'aube, nous enfoncerons leurs défenses et nous incendierons leurs vaisseaux. Quand ils auront perdu leur moyen de battre en retraite, ils perdront aussi leur désir de combattre. Vous verrez! Personne au monde ne se risquera plus jamais à faire la guerre à Troie! Dressons le campement et allumons d'immenses feux. De ces feux, nous prendrons les flammes qui brûleront, demain, les vaisseaux ennemis!

Hector ordonne à ses hommes d'ériger le campement et d'allumer de grands feux. Ils passeront la nuit en terrain conquis au lieu de rentrer en ville.

Nestor reproche à Agamemnon de s'être querellé avec Achille.

CHANT IX

Cette nuit-là, à l'intérieur de leur campement, les Grecs étaient tellement inquiets qu'ils furent incapables de fermer l'œil. Les sentinelles arpentaient les remparts, surveillant en silence les feux que les Troyens allumaient et écoutant leurs chants de victoire.

Les princes grecs tenaient une assemblée dans la tente d'Agamemnon. Jamais, en neuf années de guerre, avaient-ils subi une défaite aussi amère.

— Je n'avais pas pensé que les Troyens se battraient avec autant d'acharnement, marmonna Agamemnon, abattu. Je ne les savais vraiment pas aussi ardents. Ce doit être un signe du ciel. Zeus nous prévient que nous n'arriverons jamais à nous emparer de Troie!

— Ne parle pas ainsi! Nous prendrons Troie, même si je dois agir seul avec mon écuyer Sthénélos, répondit sévèrement Diomède.

Le vieux Nestor intervint :

— Ce n'est pas avec des mots qu'il faut se battre. Agamemnon, tu es découragé et c'est compréhensible, mais souviens-toi que nous nous battons sans Achille et que, sans sa puissante armée — que cela te plaise ou non — nous ne pouvons espérer gagner. Je dois être franc avec toi : tu l'as offensé et il n'en tient qu'à toi, maintenant, de faire la paix avec lui.

Dans sa tente, Achille joue de la lyre pendant que Patrocle l'écoute, en silence.

Après un moment de silence, Agamemnon murmura :

– Oui, j'admets avoir offensé Achille. Il a refusé de se battre et c'est la cause de notre défaite.

– Mes amis, poursuivit-il, je sais que j'ai eu tort, mais je suis votre roi et chef. Écoutez ce que j'ai à vous dire et j'espère que d'ici à demain, Achille reviendra se battre.

Peu après, Nestor, Ajax et Ulysse quittèrent la tente d'Agamemnon et longèrent le bord de la mer jusqu'au campement d'Achille, bien gardé par les Myrmidons armés de lances.

Achille était dans sa tente avec son bon ami, Patrocle. Ils étaient désarmés et leurs armures, leurs boucliers, leurs cuissardes et leurs casques étaient rangés dans un coin de la tente. Assis sur un fauteuil, Achille jouait de la lyre, fredonnant d'anciennes chansons sur la guerre et les exploits des guerriers, tandis que Patrocle écoutait en silence. C'était comme s'ils étaient à des milliers de kilomètres de Troie et du champ de bataille couvert de sang, mais, dans le cœur d'Achille, la colère et le mépris brûlaient toujours.

En voyant arriver Nestor, Ajax et Ulysse, le jeune homme déposa immédiatement sa lyre, se leva en souriant et leur tendit les bras.

– Mes amis! s'exclama-t-il. Quelle joie de vous revoir! Entrez! Et toi, Patrocle, verse-nous un peu du vin le plus rouge et le plus pur! Ulysse, Ajax, sage Nestor! Buvez et mangez avec moi!

Alors, ils mangèrent, burent et parlèrent comme si rien ne s'était passé pendant les derniers jours. À la fin, levant sa coupe en l'honneur d'Achille, Ulysse lui dit :

– Mon ami, ce n'est pas seulement pour boire que nous sommes venus. Nous venons de tenir une assemblée dans la tente d'Agamemnon. Achille, gloire de toute la Grèce, Agamemnon nous a envoyés te dire qu'il admettait son erreur; il admet t'avoir offensé en emportant loin de toi Briséis, celle que tu avais méritée par ton courage. Si tu acceptes de retourner au combat, il est prêt à te la rendre. Et ce n'est pas tout. Lorsque Troie sera pillée, tu auras le privilège de choisir vingt esclaves parmi les plus belles femmes de Troie et, lorsque nous naviguerons de nouveau vers la Grèce, tu épouseras une des filles d'Agamemnon. Tu deviendras le beau-fils du roi de tous les Grecs. C'est ce que nous sommes venus te dire. Nous te demandons de reprendre le combat.

Ulysse avait parlé. Il demeurait maintenant silencieux. Un long silence suivit, et Achille répondit d'une voix basse :

– Ulysse, tu as été franc envers moi, alors je serai franc envers toi. Tu as été envoyé par l'homme que je déteste plus que n'importe qui au monde. Il avait ma confiance et il l'a perdue. Il avait mon amitié, il l'a perdue. Il a montré qu'il ne possédait ni générosité, ni loyauté. Je l'ai servi fidèlement et, pour récompense, il m'a enlevé ma précieuse Briséis, la femme que j'aime. Agamemnon ne réussira jamais à me convaincre que son cœur a changé. Il ne vous a pas envoyés à moi parce qu'il a compris qu'il était injuste, mais simplement parce qu'il a essuyé une défaite amère sur le champ de bataille. Qu'il combatte seul contre Hector. De toute façon, poursuivit le jeune homme, je serai bientôt parti. Je quitterai bientôt cette terre où je ne suis certainement pas venu de mon plein gré!

– Achille… commença Ulysse.

Mais Achille continua :

– Ma mère, Thétis, ayant entendu que je partais pour Troie, m'a prévenu qu'en venant combattre ici, j'y trouverais la mort et, avec elle, une gloire éternelle. Mais elle a ajouté que si je ne prenais pas part à la guerre, ma vie serait longue et heureuse. Eh bien, j'ai changé d'avis. Je choisis une vie longue et heureuse et je vous conseille d'en faire autant. Il est inutile de poursuivre. Vous ne conquerrez jamais Troie.

Un silence stupéfiant suivit ces mots. Ulysse et ses compagnons essayèrent en vain de convaincre Achille de changer d'idée. Donc, après avoir bu la dernière coupe de vin, ils retournèrent voir Agamemnon pour lui apporter la réponse amère. Achille ne pliait pas, il était toujours en colère. Il ne retournerait pas au combat.

Achille n'accepte pas les excuses d'Ulysse et refuse de retourner au combat.

33

Ulysse et Diomède rencontrent Dolon qui allait espionner leur campement.

CHANT X

Dans le silence de la nuit, les guerriers, épuisés par leur journée de combat, s'étaient étendus sur le sol pour se reposer et dormir. Mais ils n'étaient pas tous endormis. Une grande inquiétude maintenait Agamemnon éveillé. Les Troyens tournaient le long du mur, tout près des vaisseaux. Que préparaient-ils? Ils allaient sûrement passer à l'attaque, mais quand? Ce soir? Demain?

Hector ne s'était jamais encore autant rapproché. La mine sombre, Agamemnon regarda les nombreux feux que les Troyens avaient allumés sur la plaine. Le danger était grand et les Grecs pouvaient tout aussi bien être voués au désastre.

Finalement, le roi en vint à une décision. Ne pouvant contenir son angoisse plus longtemps, il alla devant chacune des tentes des chefs et les convoqua un à un à une autre assemblée de guerre.

– Il est nécessaire, commença-t-il, de connaître les intentions des Troyens, à savoir s'ils attaqueront ce soir ou s'ils attendront à demain. Nos troupes sont fatiguées et la plupart d'entre elles sont endormies. Nous devons savoir si nous pouvons les laisser dormir ou si nous devons les regrouper pour le combat.

Ulysse et Diomède se portèrent volontaires pour aller épier les Troyens. Furtivement, ils se glissèrent hors du campement par une petite porte et, traversant en silence la plaine couverte de cadavres et d'armes, s'approchèrent des feux des ennemis. Soudain, Ulysse retint son compagnon et chuchota:

– Arrête! Je crois que l'on vient.

Il avait raison. Une ombre sortit de la noirceur et ils virent l'éclat d'une armure. Diomède bondit en avant, brandissant sa lance.

– Arrête! cria-t-il. Qui va là?

L'homme s'arrêta et, tremblant de peur, les supplia :

– Ne me faites aucun mal, épargnez-moi!

– Qui es-tu? Parle, si tu ne veux pas mourir sur-le-champ!

– Je m'appelle Dolon. Hector m'a envoyé. Je devais me glisser dans votre campement, répondit l'homme d'une voix chevrotante, pour découvrir si vous vous prépariez à quitter ou à vous battre encore.

– Ah! Vous croyez donc que vous nous avez battus une bonne fois pour toutes? Non, Dolon, nous ne quittons pas. Mais parle… auriez-vous peut-être reçu du renfort pour être si sûrs de vous?

Dolon, qui avait simplement accepté d'aller épier le campement des Grecs parce qu'on lui avait promis une récompense honorable, répondit :

– Oui, les Thraces sont arrivés, conduits par leur jeune roi, Rhésos. Ils ont établi leur campement là-bas, sur la droite. Rhésos, ajouta-t-il, possède deux merveilleux chevaux blancs, les plus beaux chevaux que j'aie jamais vus. Mais, s'il te plaît, laisse-moi partir, je…

Il n'eut pas le temps de terminer sa phrase : Diomède lui avait asséné un coup mortel de son épée.

– S'il était retourné voir Hector, nous aurions été perdus, expliqua-t-il. Mais viens, Ulysse, allons souhaiter la bienvenue aux Thraces!

Ils marchèrent et rejoignirent le campement des Troyens. Quelques soldats étaient armés, d'autres endormis. Sans bruit et sans se faire voir, les deux héros se glissèrent vers les tentes où tout était calme. Ils se dirigèrent vers les enclos où plusieurs chevaux dormaient. Oui, Dolon avait dit la vérité. Les deux gros pur-sang étaient certainement les deux plus belles bêtes qu'ils avaient vues à Troie. Si seulement ils pouvaient les ramener à leur campement comme butin, quelle gloire ce serait!

– Je vais m'occuper des bêtes, chuchota Ulysse, occupe-toi des hommes.

Diomède fit un signe de tête et se dirigea à pas furtifs vers une immense tente. Pendant ce temps, Ulysse, rampant sur le sol, atteignit l'enclos et se glissa à l'intérieur. Il se déplaça lentement et prudemment parmi les chevaux afin qu'ils ne sentent pas sa présence et qu'ils ne se mettent pas à piaffer et à hennir. Il arriva près des splendides chevaux blancs qui appartenaient au roi Rhésos.

Ulysse met la main sur les deux splendides chevaux blancs du roi Rhésos.

Au même moment, Diomède avait pénétré dans les quartiers des Thraces. Dès qu'ils étaient arrivés, les Thraces s'étaient couchés afin d'être frais et dispos pour la bataille du lendemain. C'était vraiment de la malchance pour eux que d'être arrivés à un moment de victoire. De la malchance parce que, se sentant hardis et sûrs d'eux, ils n'avaient même pas pensé laisser des sentinelles pour surveiller le campement.

Le terrible Diomède dégaina son épée et, puisqu'en temps de guerre toute action qui pouvait nuire à l'ennemi et ébranler sa force était pleinement justifiée, tua, un à un, dans leur sommeil, au moins douze guerriers — parmi lesquels se trouvait le jeune roi Rhésos, qui était venu à Troie dans l'espoir d'y trouver la gloire et qui, à la place, fut sacrifié comme un agneau. Diomède aurait continué son massacre s'il n'avait craint que quelqu'un se réveille et sonne l'alarme. Pensant qu'Ulysse devait avoir mis la main sur les chevaux, il décida de repartir, son épée encore couverte de sang. Ulysse attendait impatiemment qu'il revienne.

– Vite! Les Troyens sont partout! S'ils nous trouvent, nous sommes perdus!

– Au moins douze d'entre eux, dont Rhésos, ne découvriront jamais rien, répondit Diomède en ricanant. Viens, prenons le char et partons!

Ils attelèrent les deux chevaux au char de Rhésos, fouettèrent les bêtes et rentrèrent au campement des Grecs. Leurs cris et le bruit des sabots réveillèrent les guerriers thraces qui découvrirent alors le massacre des hommes dans leur sommeil. L'alarme fut vite donnée et tous les princes troyens ainsi qu'Hector accoururent. Hélas, il était trop tard; Rhésos gisait dans son sang, mort, et le nuage de poussière qui s'élevait dans la nuit montrait que ses meurtriers s'enfuyaient, emportant avec eux les deux splendides chevaux.

Ainsi était la guerre. On versait des larmes d'un côté et on se réjouissait de l'autre. Donc, le campement des Troyens était en deuil tandis que les Grecs célébraient la victoire de la mission d'Ulysse et de Diomède avec du vin et des chants.

Après avoir attelé les deux chevaux au char de Rhésos, Ulysse et Diomède rentrent au campement.

CHANT XI

L'aube finit par se lever. Ayant retrouvé leurs forces pendant la nuit, les Grecs se préparèrent à la contre-attaque. Ils devaient repousser l'ennemi aussi loin que possible de leurs vaisseaux. Par conséquent, ils devaient quitter le campement en force pour aller au combat.

Comme le jour précédent et bien d'autres fois pendant ces neuf longues années, les troupes en ordre de bataille s'affrontèrent. Une fois de plus, les chars furent conduits à folle allure par les guerriers, une fois de plus les braves jeunes hommes se lancèrent des défis, s'affrontèrent en combat singulier, tuèrent ou furent tués. Une fois de plus, le sol aride but le sang des héros.

Agamemnon n'avait jamais combattu si vaillamment, jamais il n'avait frappé et tué autant d'ennemis. Il semblait que personne ne puisse le combattre et déjà certains Troyens se repliaient sous ses assauts répétés quand, soudain, Coon (fils d'Anténor) l'affronta et lui transperça le bras. Hurlant de rage et de douleur, Agamemnon se retourna et tua son assaillant, mais il ne pouvait plus dresser son bouclier contre les flèches qui pleuvaient autour de lui. Il ne pouvait rien faire d'autre que de se traîner jusqu'à son char et prendre la fuite.

– Agamemnon s'enfuit, cria Hector. Attaquez maintenant!

C'était maintenant au tour des Grecs de reculer. En fait, plusieurs lâchèrent leurs armes pour courir plus vite. Diomède, qui s'était battu aux côtés d'Ulysse, s'écria, furieux :

– Que faites-vous, par tous les dieux, vous vous sauvez comme des moutons? Avez-vous perdu vos forces tout d'un coup? Reste avec moi, Ulysse, tenons-leur tête!

Pour toute réponse, Ulysse s'exclama :

– Je ne fuirai pas, Diomède, je resterai à tes côtés et je combattrai. Mais je suis convaincu que Zeus est encore venu à la rescousse des Troyens et qu'il y a bien peu d'espoir pour nous.

Cependant, les deux guerriers tournèrent leurs visages menaçants vers l'ennemi et ne reculèrent pas. Hector se précipita pour les attaquer, mais une lance l'effleura, l'obligeant de ce fait à reculer. Se moquant de lui, Diomède cria :

– Ah! tu t'enfuis, Hector! Mais où que tu sois, je te trouverai et je t'obligerai à te battre jusqu'au bout!

Agamemnon est blessé au bras par une lance.

De la poupe du vaisseau, Achille surveille les différentes étapes de la bataille.

Il venait à peine de terminer sa phrase que Pâris lança une flèche qui s'enfonça dans le pied droit de Diomède. Accablé de douleur, Diomède s'arrêta, en jurant. Pâris, triomphant, se réjouit avec malveillance :

– Tu as été atteint! J'aurais voulu être plus précis et te viser en pleine poitrine!

– Pauvre fou! répliqua Diomède. J'aimerais te voir sans ton arc, d'épée à épée! Tu ne parlerais pas ainsi!

Mais déjà les Troyens s'approchaient de lui, et il ne pouvait ni bouger, ni se défendre, ni s'enfuir. Cette fois-ci, il aurait été perdu sans l'intervention d'Ulysse, qui le protégea et poursuivit le combat d'une seule main contre une centaine de Troyens. Il en tua plusieurs, mais, dans la violence du combat, fut incapable d'éviter une lance projetée par Socos, fils d'Hippasos. Ce terrible lancé aurait été fatal si Athéna ne l'avait pas atténué.

Ulysse savait qu'il ne pouvait pas tenir plus longtemps. Il serait bientôt obligé de céder, ce qui signifierait la mort pour lui et pour Diomède. Il se mit alors à crier pour obtenir de l'aide et, à travers le fracas de la bataille, ses cris atteignirent l'oreille de Ménélas qui s'écria :

– Ulysse a besoin d'aide! Ajax, viens avec moi, vite! Allons!

La bataille fait rage et tourne en faveur des Troyens.

Tous deux se précipitèrent et trouvèrent Ulysse, couvert de sang, qui se défendait contre une horde d'ennemis. Ajax sauta devant lui en l'abritant de son gigantesque bouclier. Grâce à lui, Ménélas fut capable de ramener Ulysse et Diomède en lieu sûr. Ménélas dut les aider, vidés de leur force, à monter dans son char avant de les ramener au campement.

Et les Troyens continuèrent leur assaut, conduits par Hector et Pâris. Pâris qui, pour tenir la promesse qu'il avait faite à la belle Hélène, essayait de se montrer plus courageux dans la bataille qu'il ne l'avait fait jusqu'à aujourd'hui. Il lança, une après l'autre, des flèches vicieuses, infligeant la mort ou des blessures douloureuses. L'une d'elles frappa Machaon, le médecin, ce qui porta un dur coup aux Grecs.

– Nestor! cria Idoménée au vieux guerrier qui était toujours présent au front. Machaon vaut une centaine d'hommes! Fais-le monter sur ton char et conduis-le à l'abri! Nous te couvrirons!

Pendant ce temps, la bataille faisait toujours rage et penchait en faveur des Troyens qui, peu à peu, s'avançaient vers le mur qui protégeait les tentes et les vaisseaux des Grecs.

Bien plus haut, à la poupe de son navire en cale sèche, Achille surveillait. Imperturbable, il avait suivi les différentes étapes de la bataille mais, à cet instant, il fit venir son loyal ami Patrocle et lui dit :

– Patrocle, Nestor conduit un homme blessé en dehors du champ de bataille. Je ne peux pas vraiment dire de qui il s'agit, mais je pense que c'est Machaon. Va voir. Machaon m'est très cher, c'est un ami que je ne voudrais jamais perdre.

Patrocle partit en courant et trouva Nestor dans sa tente, donnant les premiers soins à Machaon qui était gravement atteint.

– Pourquoi Achille s'en fait-il tellement au sujet de Machaon? s'exclama le vieil homme. Beaucoup d'autres Grecs ont été blessés, et parmi eux, Ulysse et Diomède!... Nous avons atteint nos limites et lui, que fait-il? Il nous regarde mourir!

– Il a été trop profondément blessé, répondit Patrocle, il ne combattra pas!

Nestor secoua sa tête blanche et marmonna :

– Ce sera notre fin à tous. Toi, Patrocle, montre que tu es vraiment son ami et demande-lui de venir à notre secours! Et s'il refuse, alors demande-lui de te donner ses armes et bats-toi à sa place! Les Troyens te prendront pour Achille, et intimidés, ils perdront peut-être un peu d'ardeur.

Patrocle préféra ne pas répondre et se précipita dans la tente d'Achille. Le long du chemin, il ne vit rien d'autre que des hommes blessés, épuisés et résignés à la défaite.

Alors les Troyens poursuivirent les Grecs qui commencèrent par battre en retraite au-delà de la tranchée, puis grimpèrent par-dessus le mur de leur campement. Du haut du mur, une pluie de flèches s'abattit sur les assaillants. Dans la poussière et le tumulte, les chars troyens s'immobilisèrent, alignés au bord de la tranchée qui était jonchée de corps. Quelques écuyers voulurent avancer et essayèrent de franchir l'obstacle mais, à la vue du fossé, les chevaux ruèrent et hennirent de frayeur. Il était impossible de le leur faire franchir.

– Hector! cria Polydamas, un des plus braves Troyens. Il est insensé de vouloir franchir le fossé avec nos chars. Laissons-les et poursuivons à pied. Si les Grecs nous attaquent pendant que nous sommes sur nos chars, nous serons perdus!

– Oui, approuva Hector. À pied! En avant!

La bataille s'intensifie sous le mur ne permettant pas un seul moment de répit.

Et il sauta en bas de son char. Jamais la victoire n'avait semblée si proche. Les vaisseaux étaient tout près, ainsi que les provisions et l'entrepôt d'armes. Les saccager porterait un coup fatal aux Grecs. Menant ses hommes, Hector franchit la tranchée à pied et atteignit le mur. Il y eut un échange incessant et mortel de flèches, de pierres et de lances.

Se protégeant avec leurs boucliers, les Troyens avancèrent jusqu'à une porte renforcée qui était défendue par des guerriers grecs désespérés qui savaient fort bien que s'ils abandonnaient, il n'y aurait plus d'espoir pour eux. Même ces hommes qui, épuisés par le long combat, avaient besoin de reprendre leur souffle, de se reposer un instant et de soigner leurs plaies, luttaient implacablement. Il ne restait plus de temps, c'était la lutte pour la vie et il ne fallait pas prendre un seul moment de repos.

Soudain, quelqu'un cria :
– Le ciel! Regardez le ciel!

Tous levèrent les yeux. Un immense aigle, tenant dans ses serres un serpent, survolait le champ de bataille.

Le serpent, loin d'être mort, se tortillait, sifflait, essayant de se libérer au prix de sa vie. Avec une torsion désespérée, il leva sa tête et enfonça ses crochets acérés dans la poitrine de l'aigle. Méchamment mordu, l'immense oiseau laissa entendre un cri perçant de douleur, ouvrit ses serres et laissa tomber sa proie. Le serpent tomba sur le sol et ondula au loin. Polydamas, aussi brave fut-il, blêmit.

– Ce serpent est un signe de Zeus, Hector, dit-il. Je sens que c'est un mauvais présage. Je pense que Zeus nous dit que nous atteindront les vaisseaux, mais que les Grecs nous infligeront des blessures terribles.

– Que dis-tu, Polydamas? s'exclama Hector. Crois-tu que je me soucie des aigles et des serpents? Je crois seulement en la bataille, et nous la gagnons! As-tu peur de combattre, as-tu peur de mourir? Fais attention! Si tu penses te retirer, je devrai te tuer! En avant! Attaquons la porte! Troyens, finissons-en!

L'impérieux Hector conduisit ses hommes à l'attaque, cherchant un endroit approprié pour

Un grand aigle survole le ciel tenant dans ses serres un énorme serpent qui essaie de se libérer.

Hector saisit une énorme pierre et la lance contre la porte.

pratiquer une brèche dans le mur. Tout comme le mur tremblait sous les pierres lancées par les Troyens, trembla aussi le cœur des Grecs qui continuèrent à se défendre avec des lances, des pierres et des flèches.

Alors Sarpédon, le chef des guerriers lyciens qui avaient apporté leur soutien aux Troyens, s'avança. Protégé par un immense bouclier, Glaucos, un autre prince lycien, marchait à ses côtés. Derrière eux suivaient les guerriers en rangs serrés. Ajax, fils de Télémon, et son frère, Teucer, se précipitèrent pour les combattre. Des remparts, que les Lyciens avaient commencé à escalader, Teucer repoussa Glaucos d'une flèche, mais Sarpédon ne broncha point. Zeus en personne le protégeait. Quand Ajax projeta sa lance avec son habituelle force exceptionnelle, cette dernière alla se planter dans le bouclier du prince, mais ne passa pas au travers. Sarpédon, cependant, chancela sous le coup, le bras tout engourdi. Cette faiblesse dura à peine une seconde et, inspiré par Zeus, il reprit des forces.

– Lyciens, mes valeureux guerriers, venez ici! Tenez-vous à mes côtés! Avec moi! Seul, je ne parviendrai pas à faire une brèche dans le mur! Où est votre courage? Pourquoi n'êtes-vous pas avec moi? En avant! Si nous unissons nos forces, personne ne pourra nous résister!

Contre l'attaque massive des Lyciens, les flèches de Teucer et la lance mortelle d'Ajax n'eurent aucun effet. Tous deux durent reculer et, suivant Sarpédon, les Lyciens purent enfin se hisser sur les murs avec des cris de triomphe. Le combat s'intensifia. Chaque côté envoya des bataillons en renfort. Il n'y avait pas un prince grec ou troyen qui n'était éclaboussé de sang, que ce soit le sien ou celui de son ennemi, et il n'y avait encore aucun moyen de dire de quel côté penchait la victoire. Soudain, par-dessus le bruit et le vacarme du combat, la voix fulminante d'Hector se fit entendre.

– Troyens, dompteurs de chevaux! Abattons le mur, allons jusqu'aux vaisseaux et mettons-y le feu!

Tous s'unirent dans un suprême effort. Poussé par une force incroyable, Hector saisit une énorme pierre pointue — tellement lourde que deux hommes auraient eu de la difficulté à la soulever — et la lança contre la porte, heurtant les deux barres de fer qui maintenaient les panneaux ensemble. Les charnières colossales s'ébranlèrent, les deux barres de fer cédèrent et les deux panneaux se brisèrent en éclats. Un grondement de triomphe s'éleva parmi les Troyens qui, enfin, voyaient l'ouverture par laquelle ils allaient envahir le campement ennemi. Le premier à bondir en avant fut naturellement Hector qui tenait deux lances dans ses mains. Personne ne se risqua à l'affronter et, de toute façon, personne n'aurait pu le retenir.

– Suivez-moi! Suivez-moi! cria-t-il en se tournant vers les hommes derrière lui et, déjà, d'autres portes cédaient. Ici et là, des Troyens escaladaient les murs, brisant la résistance de l'ennemi et grimpant sur les remparts. Par les portes en éclats, par les brèches, les Troyens envahirent le campement des Grecs comme un fleuve puissant dont les eaux gonflées se déverseraient dans la plaine.

Les Grecs ne pouvaient rien faire d'autre que de battre en retraite sur leurs vaisseaux. Pis qu'une défaite, c'était la déroute! Les Grecs étaient incapables d'organiser une ligne de défense et ils étaient incapables d'arrêter et de se regrouper. Il semblait qu'à ce moment-là, rien ne pouvait sauver les vaisseaux, et, par conséquent, toute l'armée grecque, d'une défaite imminente et de la destruction.

CHANT XIII

Mais quelque chose se passa dans les cieux. Zeus, qui avait surveillé l'offensive des Troyens, tourna finalement son regard loin du champ de bataille. Il était satisfait que les dieux aient obéi à ses ordres et qu'aucun d'eux ne soit intervenu dans le combat. Il n'y avait aucun doute, alors, qu'Hector et ses hommes atteindraient les vaisseaux. Il ne voyait pas l'utilité de rester plus longtemps. Par conséquent, le père des dieux monta à bord de son somptueux char et alla visiter la terre des Thraces, éleveurs de chevaux.

Il venait à peine de partir que Poséidon se précipita sur le champ de bataille, maniant son trident. Il était bien décidé à venir en aide aux Grecs, qui avaient sa faveur. Il ne pouvait accepter leur destruction, il ne pouvait plus supporter de les voir battre en retraite et tomber.

*Dès que Zeus part dans son char, Poséidon se précipite
à la rescousse des Grecs.*

Pisandre et Ménélas s'affrontent dans un terrible duel.

Parmi les troupes grecques qui s'enfuyaient, il prit l'apparence de Calchas et aborda Ajax, fils de Télamon, et Ajax, fils de Oïlée, et leur cria, à tous deux :

– Vous avez en vous suffisamment de force pour sauver l'armée tout entière! Qu'avez-vous? Pourquoi ne pensez-vous qu'à la défaite et non à la victoire? Ne restez pas là. Au combat! Retournez au combat!

Et sur ces mots, il toucha les deux guerriers de son bâton magique, leur rendant toute leur ardeur et leur esprit héroïque. Les Troyens, qui s'étaient encore rapprochés des vaisseaux, durent affronter, soudain, une contre-attaque. Jusque-là, l'armée troyenne s'était comportée comme une énorme pierre qui dévalait une montagne, bondissant de pierre en pierre, fauchant tout sur son passage. Mais maintenant qu'elle avait atteint la plaine, c'était comme si elle avait perdu son élan et s'était lentement immobilisée. Les Troyens s'arrêtèrent donc avant les Grecs qui, sous l'influence des deux Ajax, montraient une résistance renouvelée.

Dans cette rencontre sanglante, plusieurs héros tombèrent des deux côtés, et le combat se poursuivit furieusement par-dessus leurs cadavres. Ils se battirent à différents endroits, jusque sous la poupe des navires. Ils luttèrent avec des lances et des épées, des chars se fracassèrent, et le sol fut encombré de guerriers morts et de blessés qui gémissaient. Le sol était baigné de sang, couvert d'épées et de flèches brisées, de boucliers, de casques qui avaient été arrachés des têtes des guerriers, de lances qui n'avaient pas atteint leur cible. Des duels avaient lieu entre guerriers, des divisions entières de guerriers poussant de grands cris en vinrent aux mains et, dans le chaos des combats et la chaleur, il était difficile de distinguer un ennemi d'un ami.

C'était un jour glorieux pour Idoménée, roi des Crétois, qui avait combattu aux côtés des Grecs. Mais c'était aussi un grand jour pour Deïphobos, fils de Priam, et aussi pour Énée, Pâris et les autres Troyens. Soutenus par Poséidon, les Grecs luttaient bravement et, maintenant que Zeus regardait ailleurs et avait détourné son regard du champ de bataille, les Troyens souffrirent de pénibles pertes. Dans le combat, Pisandre alla droit sur Ménélas. Le croisement de leurs lances ne donna rien. Ils saisirent alors leurs épées et s'engagèrent dans un furieux échange de coups, et Pisandre fut tué.

De partout, les lignes vacillantes des Troyens furent repoussées. Harpalion, prince des Paphlagoniens, allié des Troyens, fut tué d'une flèche. Il fut immédiatement vengé par Pâris, qui tua Euchénor, roi de Corinthe, d'une flèche lancée avec précision. Toute l'aile gauche de l'armée troyenne battait en retraite.

Polydamas courut alors chercher Hector qui luttait avec l'aile droite.

– Hector, appela-t-il, nous devons rappeler nos troupes, sinon nous aurons combattu en vain. Il n'y a aucune stratégie dans notre attaque!

– Tu as raison, répondit Hector, en bondissant de son char. Reste ici pendant que je vais à l'aile gauche donner mes ordres!

La présence et la voix d'Hector donnèrent un nouveau souffle aux Troyens. Ils se rassemblèrent pour affronter le front ennemi qui s'était arrêté sur ses pas. Hector arpentait sans cesse les premiers rangs. Ajax, en le voyant, se fraya un passage parmi les soldats et le défia.

– Hector! tonna-t-il, où crois-tu aller ainsi? À nos vaisseaux? Tu fais erreur. Tu n'y arriveras pas! Il ne te reste plus qu'une solution : fuir!

– Non, Ajax, répondit Hector, je ne fuirai pas. Ce jour marquera la fin des Grecs! Et la tienne aussi, si tu restes sur mon chemin! Avant la tombée de la nuit, les chiens et les oiseaux se régaleront de ton cadavre!

Tous deux tentèrent de s'affronter en vain, mais les rangs qui vacillaient les séparèrent. Hector cria encore :

– En avant, Troyens! Restez à mes côtés! Aux vaisseaux!

Son cri fut repris par un grondement étourdissant émis par un millier d'hommes. Une fois de plus, l'attaque des Troyens rencontra une brave résistance de la part des Grecs qui répondirent avec leur propre cri de guerre.

Hector presse les Troyens de se diriger vers les vaisseaux grecs.

Lentement et avec beaucoup de difficulté, les Troyens progressèrent vers les vaisseaux. Les cris d'Hector se répercutèrent jusqu'à la tente où le vieux Nestor, assis au chevet de Machaon, blessé, attendait des nouvelles des derniers développements de la bataille.

– Malheureusement, murmura-t-il, les cris d'Hector ne sont que trop clairs. Je ne devrais pas rester dans cette tente. Je devrais regagner mon poste!

Le vieillard sentit que son heure était venue. Il s'arma de la tête aux pieds et partit au combat, mais il allait mourir dans la bataille, couronnant sa longue vie de gloire. Sur son chemin, il rencontra quelques princes grecs qui s'étaient rassemblés au bord de la mer. Ils étaient tous épuisés ou blessés.

– Ah, Nestor! dit Agamemnon. Les menaces d'Hector se sont révélées vraies! Nous sommes défaits et nos vaisseaux seront détruits!

– Oui, répondit le vieillard, le mur sur lequel nous avions fondé tous nos espoirs est tombé, et il ne sera pas reconstruit. Je suis trop vieux et vous, trop blessés pour renverser le sort de la bataille.

– Cependant, suggéra Agamemnon, nous pouvons lancer les vaisseaux en mer et éviter, ainsi, qu'ils ne soient détruits par les Troyens. Nous pourrions les conduire près du littoral, attendre la tombée de la nuit et…

Ulysse l'interrompit :

– Agamemnon, comme tes paroles sont lâches! Toi qui as l'honneur de mener les Grecs, tu parles de fuir? Après neuf années de bataille et de sacrifices, tu suggères de mettre nos vaisseaux à la mer? Ne comprends-tu pas que s'ils voient un vaisseau à la mer, aucun de nos guerriers n'acceptera d'y monter? Ils penseront qu'ils ont été trahis. Ils déposeront leurs armes. Ce serait un désastre!

– Je suis d'accord, Ulysse! répondit Agamemnon. Alors, parle! Que suggères-tu que nous fassions?

Diomède intervint :

– Écoutez-moi, dit-il avec vigueur, nous perdons vraiment trop de temps. Nous sommes blessés, il est vrai, et nous ne pouvons combattre. Néanmoins, nous pouvons nous tenir auprès des combattants et les encourager de notre présence et de nos paroles. Nous pouvons ramener au combat

Craignant la défaite des Grecs, Nestor décide d'aller combattre.

46

nos soldats qui sont dispersés. Ne perdons plus de temps! Allons là où les combats ont lieu!

Sur ce, les princes retournèrent à ce qui aurait pu être la dernière bataille si la déesse Héra, protectrice des Grecs, ne les avait surveillés de près. Elle ne voulait pas le triomphe de Troie par la mort d'Agamemnon, de Nestor, d'Ulysse et de Diomède.

– Zeus peut revenir à tout moment, pensa-t-elle, pour prendre le combat en main, et il ne restera plus aucun espoir. Je dois donc distraire son attention. Je dois agir de sorte qu'il ne puisse rien voir et ne penser à rien…

La très belle déesse vola alors par-dessus les hauts sommets de l'Ida où Zeus avait repris son siège. Avant de rejoindre le père de tous les dieux, elle appela Sommeil, le frère de la Mort.

– Sommeil, dit-elle, ami et maître de tous, écoute-moi. J'ai une faveur à te demander. Permets que mon vœu se réalise et, en retour, je t'offrirai un trône en or. Fais que Zeus, que je suis sur le point d'aller visiter, sombre dans un profond sommeil.

– Je ne le puis, à moins qu'il ne m'en fasse lui-même la demande. Je crains sa colère.

– Sommeil, si tu trouves qu'un trône en or n'est pas suffisant, je promets que tu épouseras une des plus jeunes Charites, la belle Pasithéa, dont tu es amoureux.

À ces mots, Sommeil sourit :

– Si tu me donnes Pasithéa dont je suis amoureux, alors, ô Héra, je ferai dormir Zeus aussi longtemps que tu le désires!

Et il en fut ainsi. Suivie par l'invisible Sommeil, Héra conversa aimablement avec Zeus tout en le cajolant et en le caressant, tandis que Sommeil lui jetait un sort. Lentement, Zeus tomba endormi.

Acceptant la demande d'Héra, Sommeil plonge Zeus dans un profond sommeil.

Ajax soulève une énorme pierre et la lance à Hector qui tombe, inconscient.

Dès qu'Héra vit que le père des dieux était endormi, elle vola jusqu'à Poséidon.

– Maintenant, annonça-t-elle, tu peux aider les Grecs en toute liberté, ô Poséidon, roi de la mer!

Poséidon n'hésita pas un instant.

– Guerriers de la Grèce! cria-t-il en leur apparaissant. Allons-nous laisser la victoire à Hector? Non! Gardez courage! Unissons nos efforts et érigeons un mur de fer que les Troyens ne pourront pas détruire. En avant!

Encouragés, les Grecs resserrèrent leurs rangs et marchèrent lentement vers les Troyens, jetant de grands cris, et dans un grand cliquetis d'armes. Ni le vent qui soufflait à travers les feuilles des grands chênes, ni le rugissement des feux dans les ravins des montagnes, ni le bruit des vagues contre les récifs n'étaient suffisamment forts pour couvrir la clameur qui s'élevait des deux armées opposées.

Hector vit tous les princes ennemis qui s'avançaient — même les blessés — mais il ne se découragea pas pour autant. Il brandit son épée et la dirigea vers Ajax. Le coup aurait tué Ajax s'il n'était pas arrivé sur l'épaisse ceinture de cuir qui maintenait son bouclier et son épée. Pendant qu'Hector, faisant toujours face à l'ennemi, recula parmi ses hommes, Ajax souleva une des énormes pierres qui avaient servi de cale pour les vaisseaux et la lui lança. La pierre atteignit Hector à la tête et ce dernier tomba sur le sol, inconscient.

Avec un cri de triomphe, les Grecs avancèrent, espérant capturer leur ennemi tant détesté. Mais, déjà, les guerriers troyens couvraient Hector. Ils étaient tous accourus à sa rescousse, Énée, Polydamas, Agénor, Glaucos, Sarpédon, tous les princes troyens. Pendant qu'un rang serré refoulait le mouvement des Grecs, Hector fut enlevé, transporté dans un char et conduit au bord du fleuve Xanthe. Là, on l'aspergea d'eau froide pour le ranimer. Il reprit conscience, ouvrit les yeux, regarda autour de lui, puis, soudain, vomit du sang et perdit de nouveau conscience.

Pendant ce temps, les Grecs attaquaient avec encore plus d'ardeur. C'était l'occasion qu'ils avaient tant attendue, le moment qui pourrait décider du sort de la journée. Ils devaient se dépêcher de porter un rude coup à l'ennemi avant qu'Hector ne reprenne conscience.

Pendant un moment, même sans Hector, les Troyens tinrent bon, mais plusieurs périrent, d'autres reculèrent, la ligne de front se rendit et bientôt, la retraite se transforma en une fuite. Chassés par les Grecs, les Troyens perdirent tout le terrain qu'ils avaient conquis à un prix si élevé! Ils furent repoussés de plus en plus loin, jusqu'à être contraints d'escalader le mur de l'autre côté!

Zeus, furieux, se tourne vers Héra qui l'a trompé.

CHANT XV

Déjà à ce moment-là, les Troyens étaient au bord de la défaite, mais soudain, Zeus se réveilla de son profond sommeil. Des hauteurs du mont Ida, il tourna son regard vers la plaine de Troie et vit les assaillants grecs conduits par Poséidon, en rage. Il vit Hector étendu inconscient au bord du fleuve Xanthe et comprit immédiatement. Il se tourna vers Héra qui, assise à ses côtés, attendait avec anxiété, et la regarda avec des yeux qui lançaient des éclairs.

– Ah! c'est donc ça que tu préparais! tonna-t-il. Tu m'as tendu un piège, tu m'as fait dormir! Fais attention, Héra, poursuit-il, gonflé d'une rage divine, tu connais ma colère! Souviens-toi quand je t'ai suspendue par les pieds et laissée pendre des nuages! Je peux le refaire!

Pâle et tremblante, Héra répondit :

– Je n'ai jamais monté Poséidon contre les Troyens, crois-moi, Zeus. Si tu le désires, j'irai vers lui sur-le-champ et lui dirai de quitter le combat…

– Non! Je ne t'enverrai pas, répliqua Zeus. Tu iras chercher Iris et Apollon — ils transmettront mes ordres. J'ai promis à Thétis, continua-t-il plus calmement, de rendre justice à son fils, Achille, qu'Agamemnon a offensé. Et je le ferai. Les Grecs seront au bord de la défaite et se rendront compte que, sans l'aide d'Achille, ils ne parviendront à rien. Lorsqu'ils en arriveront à cette conclusion, Achille prendra de nouveau les armes… Alors je laisserai Troie tomber et Hector mourir. Jusque-là, conclut-il, que personne n'ose intervenir pour aider les Grecs! Et maintenant, Héra, disparais!

– Descends au bord du fleuve Xanthe. Tu y trouveras Hector, inconscient. Redonne-lui sa force et reste à ses côtés. Aide-le à combattre!

Apollon dévala le mont Ida et, dans un éclair, apparut devant Hector. Ce dernier n'avait pas encore repris conscience, il était toujours assommé et le souffle lui manquait, mais il réussit à s'asseoir sur une pierre.

– Que fais-tu ici, Hector? lui demanda le dieu. J'ai su que tu avais été frappé. Pendant un moment, tu as eu peur de mourir, je le sais aussi. Mais tu ne mourras pas. Je suis Apollon et Zeus m'a envoyé pour te dire de retourner à ton poste et de combattre de nouveau les Grecs. Debout! Va et combats! Souviens-toi que je serai à tes côtés.

En entendant ces mots, Hector sentit toute sa force lui revenir. Il sentit ses muscles se tendre et son sang affluer dans ses veines. Il se leva, saisit

Iris va voir Poséidon et lui ordonne de battre en retraite.

Les Troyens contre-attaquent les Grecs, les prenant par surprise.

Aussi vite qu'un éclair, Héra vola vers l'Olympe où les dieux, la voyant arriver pâle et affolée, s'attroupèrent autour d'elle.

– Zeus est très en colère, leur dit-elle, qu'aucun d'entre nous ne se tienne sur son chemin! Oh, c'est terrible, terrible! Iris, ajouta-t-elle en se tournant vers la jeune messagère, tu dois courir voir Poséidon à l'instant et lui dire que Zeus lui ordonne de quitter le champ de bataille immédiatement et de ne pas y retourner. Apollon, va voir Zeus tout de suite; il veut t'envoyer en mission! Vite, faites comme j'ai dit! Je vous le dis, Zeus est hors de lui!

Peu après, Iris vola vers Poséidon qui, le trident à la main, incitait toujours les Grecs à la bataille.

– Poséidon, dit-elle, je t'apporte un ordre de Zeus. Pars d'ici, retourne à ta mer et restes-y!

Poséidon était livide de colère et d'humiliation, mais il ne pouvait pas désobéir. À contrecœur et en jurant, il retourna en mer et fut submergé par les vagues. Pendant ce temps, Zeus s'adressa à Apollon.

sa lance, ramassa son bouclier, grimpa dans son char et rejoignit les troupes en déroute.

– Suivez-moi! hurla-t-il. À l'assaut, braves Troyens! Nous devons atteindre ces misérables vaisseaux et les incendier! Suivez-moi!

Comme un seul homme, les Troyens le suivirent, faisant face de nouveau à l'ennemi. Et de nouveau, la chance de cette longue bataille tourna. Les Grecs qui croyaient avoir déjà gagné, virent Hector leur tomber dessus. Atterrés et effrayés, ils chancelèrent, démantelèrent les rangs et s'enfuirent. Le premier à reprendre courage fut Thoas qui cria :

– Hector n'est pas mort, Zeus est de son côté, mais rassemblons-nous, princes de Grèce! Couvrons la retraite de notre armée pour lui permettre de former de nouveaux rangs pour protéger nos vaisseaux!

À cet appel, les plus puissants combattants se ruèrent pour former une barrière qui retint les Troyens pendant un moment. Derrière eux, pendant ce temps, la plupart des combattants fuirent en panique vers la mer! Contre Thoas et ses hommes, plusieurs assauts de la part des Troyens ratèrent, mais c'était les Grecs qui mouraient en nombre toujours croissant.

– Peu importe les morts! cria Hector à ses compagnons qui arrêtèrent de dépouiller les cadavres de leurs armes. Laissez-leur leurs armures et leurs boucliers! Nous devrions avoir le temps de les ramasser après la victoire. Tous aux vaisseaux, maintenant, et apportez les torches en flammes avec vous. La victoire est à nous!

Tel un fleuve débordant de son lit et inondant la plaine sans arrêt, les Troyens se dirigèrent vers le bord de la mer, se rassemblant en rangs serrés autour des vaisseaux où les Grecs s'étaient réfugiés dans un dernier effort pour se défendre. Étourdi par les flèches et les lances qui l'assaillaient, Hector essaya de mettre le feu au premier vaisseau. Du haut de la poupe, cependant, les Grecs protégeaient le vaisseau avec la force du désespoir.

– Le temps est venu de mourir ou de sauver nos vies! cria Ajax, en essayant d'inspirer courage à ses hommes.

Hector répliqua :

– Apportez les torches! Zeus est avec nous. Lorsque nous aurons détruit ces vaisseaux, Troie sera sauvée!

Étourdi par les lances et les flèches, Hector essaie de mettre le feu à un vaisseau grec.

CHANT XVI

Pendant que le combat se poursuivait, Patrocle se précipita dans la tente de son maître, Achille. On pouvait entendre tout près l'agitation, les hurlements, les cris et les gémissements. Jusque-là, dans le campement des Myrmidons, régnaient un ordre parfait, ainsi qu'un silence étrange, inquiétant. Dans sa tente, Achille, vêtu d'une simple tunique, était assis, en silence, comme si la guerre dans laquelle il s'était si bravement battu pendant neuf années, ne le concernait plus. Mais à la vue de Patrocle si affolé, si pâle et trempé de sueur, son visage s'assombrit.

— Qu'y a-t-il, Patrocle? demanda-t-il. On dirait que tu as pleuré. Tu pleures! Pourquoi? Viens-tu m'annoncer la mort d'un ami? Ou pleurerais-tu, ajouta-t-il, parce que les Troyens incendient nos vaisseaux?

— Oui, noble Achille, mon maître! C'est là la raison de mes pleurs! Il y a eu trop de morts et de blessés! Si tu retournes au combat…

— Non! l'interrompit Achille. Non, Patrocle. J'ai été trop profondément blessé pour combattre encore pour Agamemnon.

— Alors, implora le jeune, au moins permets-moi de combattre, prête-moi ton armure, ton casque et laisse-moi conduire les Myrmidons au champ de bataille. Les Troyens penseront qu'Achille vient aider les Grecs et n'oseront peut-être pas pousser leur attaque plus loin!

Achille hésita, puis dit :

— Qu'il en soit ainsi! Si c'est là ton désir, Patrocle, amène mes guerriers et combats. Oui, ajouta-t-il, en sauvant nos vaisseaux, nous assurons notre retour chez nous. Oui, apporte-moi la gloire de sorte qu'Agamemnon se rende compte de son erreur et qu'il me rende Briséis. Mais, continua-t-il en regardant durement son jeune ami, écoute mon conseil. Dès que tu auras repoussé les Troyens loin de nos vaisseaux, rentre à nos quartiers. Fais attention de ne pas te laisser emporter par ta soif de victoire, ne poursuis pas l'ennemi! Tu ne dois pas, insista-t-il, prendre à ma place l'honneur de pénétrer dans la ville de Troie. Et, ce qui est encore plus important, je ne veux pas que tu prennes des risques. Repousse l'ennemi, Patrocle, et ensuite, laisse le combat se poursuivre. Prépare-toi, maintenant, conclut-il en se levant, je vais rassembler mes hommes.

Patrocle fut incapable d'étouffer un cri de joie et il commença à revêtir la splendide armure qui,
d'elle-même, suffisait pour dissuader n'importe quel ennemi. Pendant ce temps, Achille prépara ses Myrmidons au combat.

— Je ne serai pas celui qui vous conduira au-devant de l'ennemi, leur cria-t-il, mais en suivant Patrocle, vous me suivrez! Que chacun de vous combatte de toutes ses forces!

Les hommes quittèrent rapidement les cinquante vaisseaux. À ce moment-là, Patrocle sortit de la tente vêtu de l'armure éblouissante et des cris d'enthousiasme l'accueillirent. Il sauta dans son char de bataille, conduit par l'écuyer Automédon, et auquel furent attelés deux chevaux rapides — Balios et Xanthos. Et il partit au combat.

Achille le regarda s'éloigner, puis, retournant dans sa tente, il prit, dans un coffre beau et bien ouvré, une coupe à laquelle aucun homme, sauf lui, n'avait bu. Après l'avoir lavée, il la remplit de vin.

— Je bois à toi, Zeus, dieu tout-puissant! dit-il solennellement. J'envoie mon ami, Patrocle, au combat. Donne-lui la force, que chacun voie qu'il peut combattre par lui-même, permets qu'il repousse les Troyens loin des navires et laisse-le revenir sain et sauf à mon campement.

Sur ces mots, il but lentement et vida la coupe. Zeus entendit sa prière. De ces deux vœux, il lui accorda le premier, mais pas le second. Patrocle allait en effet repousser les Troyens, mais il ne retournerait pas à la tente d'Achille.

L'arrivée de Patrocle et des Myrmidons insuffla du courage aux Grecs et, en même temps, consterna les Troyens qui pensèrent se trouver face à l'invincible Achille. Ils reculèrent, puis abandonnèrent un vaisseau qu'ils avaient réussi à incendier. Le combat se poursuivit parmi les vaisseaux, mais sous la pression de Patrocle et de ses guerriers, il n'y avait rien qu'Hector put faire sauf rappeler ses troupes et s'enfuir.

Plusieurs Troyens, s'étant rendus compte, que Patrocle n'était pas Achille, tentèrent de s'en emparer.

Un à un, le jeune guerrier les abattit. Même le vaillant Sarpédon, roi des Lyciens, tomba, le cœur transpercé par une lance. On aurait dit que Patrocle était aussi fort qu'Achille et que personne ne pouvait se tenir sur son chemin. Alors Hector se dirigea vers lui, dans son char conduit par l'écuyer Kébrion. Patrocle attendit,

une lance dans une main, une pierre dans l'autre. Au moment opportun, il lança la pierre de toutes ses forces et frappa Kébrion au front. Ce dernier tomba dans la poussière, tandis que le char, qui n'était plus dirigé, tourna dangereusement. Avec empressement, Hector avait sauté en bas du char juste à temps pour repousser Patrocle, qui avait bondi sur le corps de l'écuyer.

Le terrible duel qui s'ensuivit entre les deux guerriers devint bientôt un violent combat. Une pluie de flèches tomba autour du cadavre de Kébrion, et les Troyens et les Grecs luttèrent furieusement. Emporté par l'ardeur de la bataille, Patrocle oublia le conseil d'Achille de se retirer immédiatement après que l'ennemi se fut éloigné des vaisseaux. Les vaisseaux étaient à présent loin derrière et Troie, de plus en plus proche. Patrocle se risqua jusque-là, tuant avec fureur tout ce qui se trouvait sur son passage. Là, il était destiné à trouver la mort.

Patrocle lance une pierre à l'écuyer d'Hector.

CHANT XVII

Pendant le violent combat autour du cadavre de Kébrion, le jeune ami d'Achille fut, en fait, atteint dans le dos par une lance projetée par Euphorbe. Son armure se défit et son casque, la fierté d'Achille, roula dans la poussière. La plaie n'était pas mortelle, mais Patrocle sentit qu'il ne pouvait plus combattre. Chancelant et perdant son sang, il recula parmi les Myrmidons. Mais Hector le vit et n'hésita pas un instant. Il se précipita vers lui avec sa lance et le frappa sous la ceinture. Sans prononcer un seul son, Patrocle tomba sur le sol.

— Tu pensais te saisir de Troie, Patrocle! s'exclama Hector, triomphant. Je t'ai tué, plutôt! Tu es arrivé au bout de ta route! Tu n'entreras pas dans ma ville, mais tu serviras de repas aux vautours!

— C'est vrai, Hector, répondit Patrocle d'une voix faible, vante-toi de m'avoir tué. Il ne te reste plus longtemps à vivre. Achille, lui même, me vengera. Tu périras de ses mains...

— Qui sait? répliqua Hector. Achille mourra peut-être avant moi?

Mais Patrocle ne pouvait plus l'entendre; il était mort. Hector le dépouilla alors de son armure qu'il revêtit, et il plaça sur sa tête le casque qui appartenait à Achille, son plus grand rival.

Surveillant le geste vaniteux d'Hector, Zeus grommela:

— Ah, infortuné guerrier! Tu portes les armes de quelqu'un qui est craint par tous et tu ne sens pas que ta mort est proche! Non, ta femme Andromaque ne verra pas le casque et l'armure d'Achille. Je ne te permettrai pas de les lui apporter en guise de trophée. Mais en échange de la mort qui te frappera bientôt, Hector, je vais t'accorder une grande victoire aujourd'hui!

Et, une fois de plus, Hector fut repoussé. Brandissant sa lance, il renouvela son assaut contre l'ennemi. Ils luttèrent furieusement autour du cadavre de Patrocle. Les Grecs ne supportaient pas de voir son corps emporté à Troie et jeté aux chiens.

Hector revêt l'armure d'Achille après en avoir dépouillé Patrocle.

Les Grecs et les Troyens livrent bataille autour du cadavre de Patrocle.

De leur côté, les Troyens ne pouvaient pas perdre une telle preuve de leur triomphe.

Le premier à se dresser pour défendre le corps ensanglanté fut Ménélas, qui blessa le jeune Euphorbe à mort. Puis Ménélas fut rejoint par l'impressionnant Ajax, fils de Télamon. Ensemble, ils repoussèrent seuls la première attaque des Troyens. Progressivement, de plus en plus de guerriers vinrent à leur aide et les combattants se battirent impitoyablement pour obtenir le cadavre de Patrocle. D'un côté, le tenant par la tête et les bras, les Grecs essayaient de l'amener en lieu sûr au bord de la mer. De l'autre côté, le tirant par les pieds, les Troyens essayaient de traîner son cadavre dans Troie. Des flots de sang bouillonnaient partout.

Parmi les rangs, vacillant dans cette mêlée dont l'intensité ne faiblissait jamais, Hector et Ajax se regardaient l'un l'autre, sans jamais réussir à se faire face. Il était presque impossible de dire s'il faisait jour ou nuit, ou même si c'était le soleil ou la lune qui brillait au-dessus de leurs têtes. Au-dessus du champ de bataille s'étendait une couche de poussière sous laquelle les adversaires s'affrontaient, luttaient, tombaient blessés ou morts. Ce serait une journée de fatigue intolérable, une journée de chaleur suffocante, une journée sans repos, durant laquelle beaucoup mourraient.

– Grecs! nous ne pouvons pas retourner à nos vaisseaux sans le corps de Patrocle! Plutôt être ensevelis vivants!

– Troyens, cria-t-on en réponse, même si nous sommes tués à côté du cadavre, que personne ne batte en retraite!

Loin du conflit, les chevaux d'Achille, Balios et Xanthos s'étaient arrêtés et, là, sans bouger, pleuraient. En effet, des larmes chaudes coulaient de leurs yeux et tombaient sur le sol poussiéreux. Les animaux pleuraient Patrocle qui les avaient si souvent conduits. Voyant leur peine, Zeus lui-même fut ému.

– Non! dit-il, troublé. Non, je vous promets qu'Hector ne vous conduira jamais! Prenez courage et n'ayez crainte de traverser le champ de bataille afin de ramener le loyal écuyer, Automé-don, en sécurité au campement pour qu'il se repose.

Laissant glisser les rênes des mains du fragile Automédon, les deux pur-sang partirent au galop et pénétrèrent sur le champ de bataille à toute allure, se frayant un chemin parmi les guerriers abasourdis. Ils traversèrent le champ de bataille comme une vision d'horreur et atteignirent fina-lement le bord de la mer.

Le jour tirait à sa fin et la lutte pour le cadavre de Patrocle demeurait toujours incertaine.

– L'un de nous, cria Ménélas, doit prévenir Achille de la mort de son ami. À cette nouvelle, il viendra peut-être lui-même sauver le cadavre de son ami! Antilochos, poursuivit-il en se tour-nant vers un de ses compagnons, c'est à toi que revient cette triste tâche. Va voir Achille et an-nonce-lui la mort de Patrocle!

CHANT XVIII

Pendant ce temps, dans sa tente, Achille fut saisi d'une sombre prémonition. Son cœur lui disait que quelque chose de terrible s'était produit. Il sortit de sa tente et se tint là, sans bouger, écoutant les grondements de la bataille… La rumeur s'approchait tout comme, au début, elle s'était éloignée… Les Troyens avançaient donc à nouveau.

– Cela veut peut-être dire que Patrocle a été blessé ou qu'il est mort ? pensa Achille. Mais comment cela se pourrait-il ? Ne lui ai-je pas dit de ne pas se diriger vers Troie ?

Antilochos arriva à ce moment :

– Achille, un malheur imprévisible est arrivé. Patrocle est mort. Hector l'a tué et l'a dépouillé de son armure, et ils se battent pour son cadavre.

À cette nouvelle, Achille resta abasourdi. Pendant une seconde, un nuage noir passa devant ses yeux ; pendant une seconde, il fut vidé de son sang. Puis il lança un cri de douleur vers le ciel et tomba sur le sol en grandes convulsions comme s'il avait perdu l'esprit. Il se versa de la cendre sur la tête et s'arracha les cheveux des deux mains, sous les yeux de ses amis et esclaves consternés. Puis il se leva et prit les mains d'Antilochos, qui pleurait sans pouvoir se contrôler. Achille courut à la mer. Des profondeurs de l'océan, sa mère Thétis entendit ses cris. Sans attendre, glissant sur les vagues, elle atteignit le rivage et alla voir son fils.

– Qu'y a-t-il, cher enfant ? lui demanda-t-elle. Peut-être que les Troyens ne se sont pas éloignés des vaisseaux qu'ils veulent incendier ? Peut-être…

– Ils ont battu en retraite, mère. Mais Patrocle est mort, répondit Achille. Je l'ai perdu, j'ai perdu mes armes. J'ai envoyé à la mort l'ami que j'aimais plus que moi-même et maintenant, je ne peux plus rien pour lui. Aide-moi, mère, aide-moi à retourner au combat et que mon destin suive son cours.

Tristement, Thétis lui répondit :

– Oui, mon fils. Je serai de retour au lever du jour avec de nouvelles armes. Je vais demander à Héphaïstos de les forger pour toi. Attends-moi. Ensuite, tu pourras retourner au combat et que ton destin suive son cours !

Thétis apparaît à Achille et lui promet de l'aider.

Achille pleure Patrocle et jure de venger sa mort.

À ces mots, Thétis disparut.

Pendant ce temps, les Troyens avaient lancé une nouvelle attaque, déterminés, cette fois-ci, à s'emparer du cadavre de Patrocle à n'importe quel prix.

Achille avait recommencé à verser des larmes quand, dans une lumière éblouissante, lui apparut Iris, la déesse messagère.

– Le cadavre de Patrocle est sur le point d'être perdu et toi, Achille, tu pleures et ne fais rien !

Le héros marmonna :

– Héra t'a envoyée, Iris, et tu me fais des reproches. Mais comment pourrais-je combattre alors que je n'ai pas d'armes ?

– Tu n'as pas besoin d'armes. Sors de ta tente et montre-toi dans la tranchée où les Grecs sont repoussés par Hector. Fais-leur entendre ta voix. Ce sera suffisant. C'est ce qu'Héra avait à te dire.

Achille quitta donc sa tente. On eut dit qu'un halo de feu brillait autour de sa tête. À grandes enjambées, il se dirigea vers la tranchée de l'autre côté de laquelle la bataille faisait rage. Il se tint debout et laissa entendre un cri de douleur et de rage, rempli de menace… Les Troyens l'entendirent et, perplexes, s'immobilisèrent. Achille poussa un autre cri. Les Troyens préférèrent ne pas continuer. Leurs princes retenaient les chevaux, jetant des regards anxieux autour d'eux. Achille revenait-il au combat ? Non. Mais pour la troisième fois, Achille poussa son cri et, soudain, les Troyens furent saisis de panique. Ils s'enfuirent et coururent jusqu'à ce qu'ils trouvent refuge dans la ville. Ainsi se terminait la journée qui aurait pu leur apporter une victoire décisive. Les Grecs rapportèrent donc le corps de Patrocle et le transportèrent dans la tente d'Achille. Achille versa des larmes tout en l'étreignant.

– Patrocle, pleura-t-il, je t'ai promis de te ramener à la maison vivant et couvert de gloire. Je n'ai pas tenu ma promesse, mais j'en tiendrai une autre : avant de te rejoindre dans le royaume de la mort, je tuerai Hector !

Pendant toute la nuit, des cris et des lamentations s'élevèrent du campement des Grecs affolés.

Pendant ce temps, Thétis alla voir Héphaïstos, le dieu-forgeron, et le trouva parmi ses soufflets gonflés, s'acharnant au travail, battant l'enclume de son puissant marteau. Dès qu'il la vit, Héphaïstos se réjouit et claudiqua vers Thétis. Il n'avait

Héphaïstos forge une nouvelle armure pour Achille.

jamais oublié comment elle l'avait caché et lui avait donné un abri dans la mer lorsque enfant, il s'était enfui de chez lui quand sa mère, ayant honte d'avoir un fils infirme, voulait le faire enfermer.

– Demande-moi tout ce que tu désires, Thétis, lui dit-il joyeusement. Si c'est en mon pouvoir, je le ferai. Peut-être est-ce déjà fait.

Thétis lui raconta la triste histoire d'Achille et termina en lui disant :

– Donc, Héphaïstos, je suis venue te demander de forger un casque, un bouclier, des cuissardes et une armure pour mon fils. Il n'en a plus car Hector, ce meurtrier, en a dépouillé son cher ami Patrocle.

– Tu auras ce que tu demandes, répondit Héphaïstos.

Il se mit immédiatement au travail dans son atelier rempli de fumée. Il fit tout d'abord le bouclier : grand, robuste, bordé d'un triple cercle, et il le grava aux symboles de la Terre, de la mer et des constellations des cieux, ainsi qu'avec des images de villes, de temples et de scènes de travaux ruraux. Ensuite, il s'attaqua à l'armure qu'il fit plus brillante que le feu. Il façonna un grand casque brillant pour qu'il s'ajuste parfaitement sur la tête d'Achille. Et, sur le dessus, il plaça un cimier en or orné d'une longue queue de cheval. Et, pour les cuissardes, il utilisa de l'étain afin qu'elles soient légères à porter et qu'elles n'entravent pas sa course. Aucun mortel n'avait eu d'aussi belles et d'aussi puissantes armes. Lorsqu'Héphaïstos eut enfin terminé, il tendit les armes à Thétis qui s'envola de l'Olympe, tel un faucon, pour les apporter à son fils.

Achille pleurait toujours son ami Patrocle quand Thétis arriva avec son chargement étincelant.

– Mon fils, dit-elle, ne pleure plus! Voici les armes que tu m'as demandées. Héphaïstos les a forgées pour toi. Porte-les et que ton destin suive son cours.

À la vue des armes, les Myrmidons qui entouraient Achille murmurèrent d'émerveillement, tellement l'impression de puissance qui se dégageait de l'armure, du casque et du bouclier était grande. Achille inspecta soigneusement les cadeaux de sa mère et d'Héphaïstos et dit :

– Avant de les porter au combat, il est nécessaire que je me réconcilie avec Agamemnon. Je paie déjà trop amèrement ma colère causée par l'offense. Je te prie, ô divine mère, de sauver le corps de Patrocle de la décomposition!

– J'y veillerai, mon enfant. Mais ne perd plus de temps, fais ton devoir.

Achille se rendit au bord de la mer et, d'une voix tonnante, appela les troupes grecques à se rassembler. En entendant sa voix et ses paroles, les Grecs tremblèrent à l'avance et s'empressèrent de se rendre au centre du campement. Là, devant tous les princes, dont plusieurs étaient blessés, Achille se dirigea vers Agamemnon les bras ouverts en signe de paix et déclara solennellement qu'il renonçait à toute pensée de colère et de vengeance.

– Je vois, dit-il, que notre querelle n'a fait qu'avantager Hector. Mais oublions le passé. Passons l'éponge, Agamemnon. Nous ne devons penser qu'à nous battre. Mène ton armée au combat, je serai à tes côtés.

Ému, Agamemnon répondit :

– Grecs, mes amis, j'aimerais vous dire que lorsque j'ai offensé le noble Achille, je n'étais pas

Achille se dirige vers Agamemnon, les bras ouverts en signe de paix.

La belle Briséis est ramenée à la tente d'Achille.

moi-même. Je savais que j'avais tort mais, croyez-moi, ce n'était pas moi qui parlais, ce n'était pas moi qui l'offensais. C'était comme si un démon avait pris possession de mon corps. Non, Achille, je ne suis pas responsable de l'outrage que je t'ai causé. Mais tu as raison, oublions le passé. Cependant, je veux me repentir, même pour une faute qui n'était pas de ma volonté. Tu recevras de moi tous les cadeaux que tu désires et, avec eux, tu recevras aussi mon amitié!

– Les cadeaux peuvent attendre, s'exclama Achille, pensons à la bataille. Allons, maintenant!

Ulysse, qui avait été blessé au combat, se leva pour parler.

– Non, Achille, nous ne pouvons pas aller maintenant au combat. Tu viens avec nous et la victoire ne devrait pas nous échapper. Mais, mon ami, nous sommes encore trop épuisés après le rude combat que nous venons de mener. Seulement quelques-uns d'entre nous et de nos guerriers ont eu la possibilité de manger et toi, puissant Achille, tu es bien placé pour savoir que la force repose sur la nourriture. Rassasions-nous d'abord un peu, ensuite nous recommencerons le combat avec une énergie nouvelle.

Achille écouta impatiemment ces paroles sages et prudentes. Il voulait venger Patrocle sur-le-champ. Mais tous étaient d'accord avec Ulysse. Avant de préparer le combat, Agamemnon envoya à Achille les plus précieux cadeaux : douze chevaux fougueux, vingt splendides vases en cuivre, dix talents d'or et sept jeunes esclaves toutes douées en travaux domestiques. Alors, solennellement et d'après la tradition grecque, ils transportèrent des sacrifices pour la consécration de la paix et de la réconciliation. Finalement, la jeune et belle Briséis, qui avait été la cause de la colère fatale, fut ramenée à la tente d'Achille. Lorsque la jeune fille vit le corps de Patrocle, elle s'agenouilla tout près et se mit à se lamenter, se griffant les joues et la poitrine de désespoir.

– Hélas, mon très cher Patrocle, pleura-t-elle, je ne pourrai plus jamais te parler, nous ne pourrons plus jamais faire des projets d'avenir ensemble. Je t'ai trouvé, mais pas dans l'état que je le croyais : mort, tu es mort!

Tous pleurèrent et Achille les regarda sombrement. Et il se souvint du moment où ils avaient discuté ensemble de la guerre.

– Patrocle, je mourrai sous les murs de Troie, disait souvent Achille, tel est mon destin : une vie brève, mais glorieuse. Mais toi, Patrocle, tu rentreras en Grèce et tu raconteras mes exploits...

Ulysse et les autres princes insistèrent pour qu'Achille prenne un peu de nourriture.

La faiblesse pourrait prendre le dessus dans le combat et le trahir. Mais le jeune refusait obstinément de manger ou de boire! Du haut de l'Olympe, Zeus se tourna vers Athéna :

– Tout comme un enfant, Achille refuse de manger, dit-il. Mais il ne doit pas souffrir de la faim. Cours, ma fille, et fais couler dans sa poitrine un peu de nectar et d'ambroisie, la nourriture divine, afin qu'il ne perde pas ses forces au milieu du combat.

Athéna s'empressa d'obéir et, soudain, Achille sentit sa force habituelle lui revenir. Il se leva en essuyant ses dernières larmes. Le temps n'était pas aux larmes, mais au combat. Les guerriers grecs qui étaient assis entre les vaisseaux et le mur et qui s'étaient battus si âprement plus tôt, s'étaient rassasiés et se préparaient au combat. Achille ordonna aux Myrmidons de se tenir prêts, puis il commença à se vêtir. Les yeux brillants comme le feu et grinçant des dents, il enfila l'armure forgée par Héphaïstos, attacha la ceinture de son épée, fixa son bouclier à son bras et, finalement, se coiffa de son casque orné de la queue de cheval chatoyante. Puis il pénétra dans sa tente et tira d'un étui une formidable lance, si longue et si lourde qu'il était le seul, parmi les Grecs, à pouvoir la manier.

Lorsqu'il revint, il fut accueilli par un grondement d'acclamations de toute l'armée, et Automédon fit avancer le char de combat auquel avaient été attelés Xanthos et Balios, tous deux piaffant d'impatience. Achille monta dans le char et d'une voix grave, dit :

– Xanthos, Balios, lorsque le combat sera terminé, ramenez-moi vivant! Ne me laissez pas sur le champ de bataille, mourant, comme vous l'avez fait pour Patrocle!

Par un miracle accompli par Héra, Xanthos répondit :

– Oui, Achille, nous te sauverons. Mais n'oublie pas que l'heure de ta mort est proche. Et à cette heure, nous ne te serons d'aucun secours même si nous courons aussi vite que le vent. C'est ton destin, Achille, d'être défait dans cette bataille par un homme et par un dieu!

Tapant du pied avec impatience, le héros répliqua :

– Xanthos, pourquoi parles-tu de mort? Je sais que je dois mourir ici, loin de chez moi! Mais avant que cela n'arrive, j'aurai vengé Patrocle et défait les Troyens. Allons, maintenant!

Sur ce, il poussa le cri de guerre et ordonna à son écuyer de partir. Conduisant les Grecs en avant, il aperçut au loin la ville de Troie, bien protégée par ses murs.

Achille revêt la nouvelle armure qu'Héphaïstos lui a forgée.

CHANT XX

Le combat entre les Grecs et les Troyens était sur le point de commencer. Et tout en haut, au sommet de l'Olympe, Zeus convoqua tous les dieux à une assemblée officielle. Il insista pour que tous soient présents. Avec beaucoup de rigueur, il dit :

– Voici arrivé le moment décisif de cette guerre. Je ne bougerai pas d'ici, mais vous pourrez intervenir dans le combat, selon vos convictions.

À ces mots, les dieux volèrent immédiatement dans la plaine qui s'étendait entre la ville et la mer. Athéna, Poséidon, Héphaïstos et Héra se tinrent du côté des Grecs. Aphrodite, Arès, Apollon et Artémis, du côté des Troyens. Dès que les immortels touchèrent le champ de bataille, le combat commença avec acharnement.

En colère, virevoltant parmi les troupes qui s'affrontaient, Achille sur son char cherchait Hec-tor pour se venger. Arès le remarqua et alla voir Énée.

– Énée, Achille approche. Va à sa rencontre, arrête-le, tue-le ! Tu en tireras une gloire éternelle et tu sauveras Troie !

Énée savait qu'il n'était pas aussi fort qu'Achille. Il l'avait déjà combattu une fois, pourtant il n'hésita pas. Il s'avança et, en le voyant, Achille s'écria :

– Pourquoi viens-tu à moi, Énée ? Crois-tu que tu peux me battre et, ainsi, être récompensé par Priam avec la couronne de Troie ? Non, écoute-moi. Va-t'en maintenant, à moins que tu ne veuilles mourir !

– Ton bavardage ne me fera pas fuir, Achille ! répondit Énée, et il projeta sa lance qui, malgré toute la vitesse et la force à laquelle elle avait été lancée, ne put percer le bouclier d'Achille, forgé

Achille et Énée luttent l'un contre l'autre et Poséidon protège Énée.

par un dieu. Le jeune Grec, à son tour, projeta sa lance qui siffla dans l'air et perça le bouclier d'Énée comme un éclair. La lance de bronze manqua Énée d'un cheveu et s'enfonça dans le sol, à côté de lui. Achille dégaina son épée, Énée ramassa une pierre et la brandit au-dessus de sa tête, prêt à la lancer. Le duel se serait probablement terminé par la mort de l'un ou l'autre des héros si Poséidon n'était intervenu.

— Non, murmura-t-il, je ne veux pas qu'Énée meure. Un grand destin l'attend : celui de perpétuer la race des Troyens à travers les siècles !

Il s'envola en avant et répandit un brouillard dense autour d'Achille, dont la vision fut troublée. Poséidon retira alors la lance du sol, la coucha aux pieds d'Achille et fit disparaître Énée, le transportant tout au fond des rangs des Troyens.

— Ne te bats plus contre Achille, le prévint-il. Mais sache que lorsqu'il sera mort, aucun autre Grec ne te mettra en déroute !

Ayant ainsi parlé, Poséidon retourna à l'endroit où se tenait Achille et leva le brouillard. Le héros vit sa lance couchée à ses pieds, mais pas Énée.

— Cela tient du miracle, marmonna-t-il. De toute façon, je savais qu'Énée était chéri des dieux… Peu importe, s'exclama-t-il et, ramassant son épée, il cria à ses hommes :

— Il y a d'autres Troyens à tuer ! Mes amis, suivez-moi, je ne peux pas les affronter seul et lutter pour vous tous ! Que chacun d'entre vous affronte son adversaire et le tue comme je le ferai !

De son côté, Hector encourageait les Troyens, qui, à la vue d'Achille, étaient déjà hésitants.

— Vous ne devez pas avoir peur de cet homme ! criait-il. Ils ont pris Troie avec des mots, mais ils ne la prendront jamais en réalité! Fût-il fait de feu, je lui lancerais tout de même un défi!

Ses hommes lui répondirent par un cri de guerre et le fracas de la bataille.

Achille réussissait à tuer, l'un après l'autre, un nombre prodigieux de héros troyens. Lorsque le très jeune Polydore, frère d'Hector, tomba, Hector fut envahi par la peine et par une soif immédiate de vengeance. Se frayant un passage parmi les combattants, il chercha à provoquer son rival en duel. Achille cria :

– Viens, Hector! Viens à ta perte!

– N'essaie pas de m'effrayer, répliqua Hector et il lança son javelot.

Il n'aurait pas manqué sa cible si Athéna, aussi rapide que l'éclair, n'avait pas paré le coup, sauvant Achille de justesse. Achille se prépara alors

Hector lance son javelot sur Achille, mais Athéna pare le coup.

à frapper, mais ce fut au tour d'Apollon d'intervenir. Il enveloppa Hector d'un nuage dense dans lequel Achille jeta sa lance en vain, quatre fois.

– Ah, tu m'as donc échappé, toi, rustre! s'exclama-t-il. Un dieu t'a encore sauvé, mais je viendrai à bout de toi. M'entends-tu, Hector? Tôt ou tard, j'en aurai fini avec toi!

Il retourna à son char et, fouettant les chevaux, Automédon, l'écuyer, plongea au beau milieu du combat. Tel un feu poussé par le vent et détruisant les forêts sèches, Achille, animé d'une fureur incontrôlable, balayait les rangs des ennemis, fauchait les Troyens qui se tenaient sur son chemin et piétinait les hommes blessés. Les roues et les essieux du char, et les sabots de Xanthos et de Balios, furent aspergés de sang et c'est aussi couvert de sang que l'invincible Achille poursuivit sa route.

CHANT XXI

Les Troyens, pris de panique, se replièrent. La confusion s'était transformée en un chaos irréparable lorsqu'ils atteignirent le fleuve Scamandre. Terrifiés, ils tombèrent dans l'eau, cherchant le salut sur l'autre rive, espérant que le char d'Achille ne serait pas capable de résister au courant. Mais Achille bondit de son char et, tirant seulement son épée, il pourchassa les fugitifs à travers l'eau et les massacra. Personne n'osa se dresser contre lui, personne n'osa se retourner et l'affronter. Ne trouvant aucune résistance, le héros tua sans répit, sans merci, pas même pour ceux qui, désarmés et blessés, capitulaient et le suppliaient d'être épargnés! En peu de temps, le fleuve fut teinté de la couleur sombre du sang; en peu de temps, d'horribles îles de cadavres émergeaient à la surface. Des casques, des boucliers, des armures encombraient les rives et parmi les cadavres flottaient les lances. Dans l'eau, l'implacable Achille continuait à frapper.

À la vue de tant de sang et de tant de fureur, le dieu qui demeurait dans les profondeurs du Scamandre gonfla ses eaux et les jeta contre Achille. Les vagues le fouettèrent et l'étouffèrent, l'aveuglant, le jetant dans une tentative de l'abattre et de l'écraser contre le sable et la boue. Maintenu au fond par son armure, Achille luttait désespérément et se rendit compte qu'il avait atteint les limites de ses forces.

– Serait-ce la fin, marmonna-t-il. Vais-je mourir en me noyant bêtement?

En fait, cela aurait été la fin si Héphaïstos ne s'était pas précipité pour le sauver en donnant l'assaut au fleuve avec ses flammes et en le

Le dieu du fleuve Scamandre gonfle ses eaux et les jette contre Achille.

Arès et Athéna se disputent et s'engagent dans un duel.

contraignant, après une dure lutte, à calmer ses eaux et à cesser de harceler le héros.

La lutte entre le fleuve Scamandre et le dieu boiteux souleva une querelle brève, mais chaude entre les dieux. Depuis le début de la guerre de Troie, ils avaient été divisés. Plus d'une fois, ils n'avaient pas été d'accord, et Zeus avait dû les menacer afin qu'ils n'en viennent pas à lutter entre eux, mais maintenant, le temps semblait être venu. Arès se jeta dans la bataille dans laquelle Athéna luttait déjà avec fureur contre les Troyens.

– Pourquoi es-tu ici? Une fois tu as guidé la lance de Diomède pour me blesser. Bien, maintenant, c'est mon tour!

Et sur ces mots, il assena un coup formidable sur le casque de sa sœur. Mais ce casque pouvait résister même aux éclairs de Zeus et le coup d'Arès n'eut aucun effet. La déesse répliqua sur-le-champ en envoyant une roche qui atteignit sa cible. Arès fut atteint au cou. Il avança à l'aveuglette, essayant de garder son équilibre, mais il n'avait plus de souffle et tomba à genoux.

– Toi, pauvre fou! lança Athéna d'un ton moqueur. Tu veux te battre contre moi et tu ne sais même pas que je suis plus forte que toi!

La belle Aphrodite se rua alors pour aider Arès. Elle le prit par la main, l'aida à se relever et le conduisit loin du champ de bataille. Athéna, outragée, la pourchassa et l'abattit.

– Ah! s'exclama-t-elle devant ses rivaux vaincus. Si nous, immortels, avions combattu, la guerre serait terminée depuis longtemps et Troie n'existerait plus!

Pendant ce temps, Poséidon avait provoqué Apollon mais, plus tard, avait déclaré qu'il ne voulait pas se battre. L'arrogante Artémis le lui reprocha sévèrement, le pressant de relever le défi. Mais Héra vola pour l'affronter.

Elle retira l'arc de l'épaule d'Artémis et la frappa jusqu'à ce qu'elle se réfugie, en larmes, aux pieds de Zeus. C'était là, autour de leur père, que, finalement, tous les dieux retournaient quand ils avaient fini leur combat. Certains triomphants, certains humiliés, certains vexés. Mais tous les immortels maintenaient que les Grecs avaient montré plus de courage et de détermination.

Parmi les dieux qui étaient de retour à l'Olympe, Apollon manquait toujours à l'appel. Il était retourné à Troie, déterminé à la défendre par sa présence.

À l'intérieur de la ville, le vieux Priam monta en haut de la tour et surveilla le combat avec anxiété. Lorsqu'il vit ses guerriers s'enfuir en désordre, pourchassés et massacrés par Achille, il ordonna :

– Ouvrez les portes! Laissez nos hommes s'abriter dans la ville! Mais faites attention de bien les refermer à temps. Ne laissez pas entrer Achille!

Ses ordres furent exécutés, mais comment les Troyens en fuite pouvaient-ils entrer dans la ville? Ils se piétinaient les uns les autres; ils seraient bientôt écrasés dans leur hâte de traverser le seuil des portes. Ils seraient peut-être massacrés jusqu'au dernier! Apollon en était tout à fait conscient, et il quitta Troie pour essayer d'éviter la catastrophe. Il vola vers Agénor, le vaillant guerrier, et lui insuffla son courage, son calme et sa détermination. Agénor, qui s'enfuyait avec les autres, s'arrêta immédiatement.

– Pourquoi suis-je en train de fuir? pensa-t-il. Pourquoi me laissé-je mener par les autres? Je n'ai pas peur d'Achille! C'est un homme comme chacun d'entre nous et, comme chacun d'entre nous, il peut être tué. Je ne devrais pas m'enfuir, mais lui tenir tête!

Il se retourna, maniant sa lance, et s'écria :

– Achille, ne crois pas que tu vas piller Troie aujourd'hui. Nous n'avons pas tous peur de toi!

Et il projeta sa lance qui toucha Achille sous le genou et qui, si elle n'avait pas touché les cuissardes faites par Héphaïstos, lui aurait probablement brisé la jambe. À son tour, Achille, indemne, se prépara à attaquer. Mais Apollon intervint et, enveloppant Agénor d'un brouillard, l'emporta dans un lieu sûr. Afin que les Troyens puissent passer les portes de la ville, le dieu prit l'apparence d'Agénor et apparut devant Achille, très troublé.

– Tu es encore là! lança le héros.

Brandissant sa lance maculée de sang, il se lança dans une chaude poursuite après l'homme qu'il croyait être Agénor et qui courait désespérément à travers la plaine.

– Je t'attraperai, lâche! cria Achille, sur ses talons.

Et succombant à sa rage et à sa soif de vengeance, il ne pouvait pas s'imaginer que le fuyard n'était pas Agénor mais bien Apollon qui s'était déguisé. Il ne se rendit pas compte, non plus, qu'il le conduisait dans la direction opposée à Troie. Alors les Troyens épuisés, qui n'étaient plus poursuivis par Achille, furent capables d'entrer dans la ville, de fermer les portes et de s'accorder enfin un peu de repos.

Achille poursuit Agénor dans la plaine, ne sachant pas qu'il s'agit d'Apollon, déguisé.

Hector attend Achille, lance en main.

CHANT XXII

Cependant, les Troyens ne purent pas tous pénétrer dans la ville. L'un d'eux resta à l'extérieur des murs : Hector. Il se tint là, seul devant la porte de Scée, lance en main, à attendre.

Pendant ce temps, Apollon s'était arrêté de courir. Il se libéra de l'apparence d'Agénor et reprit la sienne. Puis, d'un air moqueur, il se tourna vers Achille et lui dit :

– Pourquoi me pourchasses-tu? Ne peux-tu voir que je suis un dieu et que tu ne peux me tuer parce que je suis immortel?

– Un dieu, vraiment, le plus funeste de tous! répliqua Achille avec fureur lorsqu'il se rendit compte qu'on s'était moqué de lui.

– Si seulement je pouvais te tuer, Apollon, je me vengerais sur toi!

Il tourna les talons et se précipita vers Troie. De la tour, Priam le vit revenir.

– Hector, mon fils, cria-t-il, entre dans la ville! Mets-toi à l'abri, ne tiens pas tête à Achille! Sauve ta vie et, avec toi, sauve Troie!

Hécube, la mère du héros, le supplia à son tour, versa des larmes et lui tendit les bras de désespoir. Mais Hector ne répondit pas. Oui, il avait lui aussi vu Achille s'approcher, il avait aussi senti que le moment suprême était proche, mais il ne désirait pas rentrer dans la ville. Il ne voulait pas fuir et ternir son honneur. Il aurait pu ordonner à ses troupes de battre en retraite plus tôt, dès qu'il avait vu Achille prendre part au combat, mais il ne l'avait pas fait et, maintenant, il paierait pour cela. Qu'aurait-il dû faire? Baisser les bras, capituler et rendre Hélène aux Grecs?... Hector savait très bien qu'en aucun cas, Achille ne lui accorderait un moment de trêve, qu'il n'accepterait pas sa capitulation, qu'il n'aurait aucune pitié pour lui. Il valait mieux alors lui faire face, et, au moins, l'un d'eux saurait lequel l'Olympe voulait couvrir de gloire!

Un silence lourd tomba sur toute la plaine et Hector et Achille furent face à face. Quelque chose d'inattendu survint alors. Hector, dont le courage avait jusque-là été inébranlable, fut soudain pris de panique. Voyant son grand rival avancer sur lui, gigantesque et menaçant, entouré de la lumière d'un halo magique comme si le soleil brillait à travers son armure de bronze, le cœur d'Hector vacilla.

Il était incapable de regarder cette vision, il était incapable de rester debout. Il tourna le dos à Achille et s'enfuit. Oui, il se mit à fuir, sans se soucier des Troyens qui le regardaient de la muraille ou des Grecs qui s'étaient rapprochés en silence. Il s'enfuit et courut trois fois autour des murs de Troie, Achille sur les talons.

Pendant ce temps, sur l'Olympe, Zeus avait pesé les vies d'Achille et d'Hector dans ses balances et il vit que c'était au tour d'Hector de mourir.

– Qu'il en soit ainsi! murmura-t-il solennellement.

C'est à ce moment qu'Athéna joua son dernier tour. Volant vers Troie, elle revêtit l'apparence de Déiphobe, fils de Priam, et courut rejoindre Hector qui s'enfuyait.

– Frère! s'écria-t-elle, arrête! Ne t'épuise pas ainsi; combattons Achille ensemble!

Hors d'haleine, Hector répondit :

– Oui, Déiphobe, tu as raison. Je ne fuirai plus! Achille! cria-t-il en se retournant. C'est entre toi et moi maintenant! Combattons, mais laisse le vainqueur rendre le cadavre du vaincu!

Achille répondit :

– Non, je ne ferai aucun pacte avec toi! Tu es un homme mort. Tu paieras pour ce que tu as fait à Patrocle!

Achille saisit son épée et se rue sur Hector.

Il venait à peine de terminer sa phrase, qu'il projeta sa lance. Hector qui était prêt, se pencha sur le côté et la lance s'enfonça dans le sol.

– Tu as raté ton coup, Achille! s'exclama Hector, le Troyen. C'est mon tour, maintenant!

Il jeta sa lance qui rebondit sur le bouclier forgé par Héphaïstos.

Hector se retourna et tendit son bras droit :

– Déiphobe! cria-t-il, donne-moi ta lance…

Il s'arrêta net — il n'y avait personne à ses côtés. Il comprit et murmura :

– Ah! Les dieux m'ont amené à la mort! C'est encore une ruse d'Athéna. Eh bien, je ne mourrai pas sans gloire!

Il tira son glaive et se jeta sur Achille… mais ce dernier avait déjà levé sa propre lance que l'invisible Athéna avait ramassée et remise dans sa main. Pris par surprise, Hector ne put rien faire pour se défendre. Il reçut un coup mortel dans le cou et s'effondra sur le sol.

– Tu pensais t'en tirer sans punition, Hector! s'exclama Achille. Maintenant, ton cadavre sera déchiré par les chiens!

– Achille, implora Hector, mourant, j'en appelle à tout ce qu'il y a de noble en toi. Je te supplie de rendre mon corps à Troie…

Et il mourut.

Pendant que les cris et les lamentations retentissaient dans Troie, les Grecs triomphants se ruèrent autour du héros qui était tombé et lancèrent sauvagement leurs lances dans son corps.

– Ah! crièrent-ils. Il est plus doux maintenant qu'il ne l'était au combat!

Puis Achille attacha Hector par les pieds à son char et, en hurlant, fouetta ses chevaux qui partirent au galop. Traînant le cadavre de son rival dans la poussière, le déchirant et le souillant, il lui fit faire le tour des murs de Troie avant de rentrer à son campement.

Achille attache, par les pieds, le cadavre d'Hector à son char et le traîne dans la poussière autour des murs de Troie.

Tous les Grecs étaient revenus au campement, avaient retiré leurs armures et déposé leurs armes, pensant enfin au repos. Mais Achille ordonna aux Myrmidons de rester armés.

– Venez avec moi! ajouta-t-il. Nous devons rendre hommage à Patrocle. Après, nous nous reposerons!

Tous obéirent à ses ordres et, avec les guerriers, Achille versa des larmes, au bord de la mer, criant le nom de son ami.

– J'ai tenu ma promesse, Patrocle, sanglota-t-il. J'ai tué Hector et j'ai jeté son cadavre aux chiens.

Les sanglots qui venaient de la mer faisaient écho aux lamentations qui s'élevaient de Troie. Même après que les Myrmidons eurent fini d'enlever leurs casques et leurs armures, même après qu'ils furent tombés sur le sol, complètement épuisés, Achille continua à se lamenter, seul, sur l'immense plage.

Le jour suivant, un immense bûcher funéraire fut élevé, et le corps embaumé de Patrocle y fut placé. Des sacrifices solennels furent offerts, puis Achille alluma le bûcher.

– Sois heureux au royaume de la mort, Patrocle! Tu as été vengé!

Dans un silence absolu, les Grecs regardèrent les flammes consumer le corps du jeune héros, dont les cendres furent gardées et placées dans une urne d'or qui fut enterrée au bord de la mer.

Pendant ce temps, quelque chose d'étrange était survenu. Aucun chien ne s'était approché du cadavre d'Hector qui avait été jeté dans un coin. Apollon et Aphrodite avaient pris soin des restes du pauvre mortel et protégé le corps de ce dernier d'autres mutilations.

Les funérailles de Patrocle étaient terminées. Mais Achille leva la main et, dans le silence solennel, il cria :

Le gagnant du combat à mains nues recevra une mule indomptée et le second, une coupe splendide.

offrit un immense trépied comme premier prix et pour le vaincu, une très jolie esclave, aux travaux irréprochables. Les concurrents furent le gigantesque Ajax, fils de Télamon et l'astucieux Ulysse. Ce dernier était plus court et n'était pas aussi fort que son adversaire, mais non pas moins doué. S'empoignant, ils luttèrent tout deux pendant longtemps, et ni l'un ni l'autre ne réussit à mettre son adversaire au plancher. Le combat s'éternisait et les spectateurs commençaient à s'ennuyer.

– Que le premier qui réussisse à soulever l'autre de terre gagne, suggéra Ajax. D'accord?

– D'accord, répondit Ulysse.

Ajax fut le premier à essayer. Il aurait facilement pu soulever son adversaire de terre et il allait le faire au moment où Ulysse lui donna un coup de pied sur le tibia. Pris par surprise, Ajax s'effondra au sol. Tous les spectateurs demeurèrent interloqués. Un homme si puissant avait cédé sous le poids d'Ulysse? C'était maintenant au tour d'Ulysse, mais, malgré tous ses efforts, il ne pouvait soulever le géant. Achille intervint alors :

– Vous avez gagné tous les deux et méritez des prix égaux!

– Mes amis! Attendez! Avant de retourner à vos tentes, je vous demande d'honorer une autre fois mon cher ami. En mémoire de lui, je veux que vous, vaillants guerriers, mesuriez votre force les uns contre les autres. Au nom de Patrocle, je veux que vous rivalisiez en un concours d'habileté et de puissance. Je puiserai les prix à même les trésors de mon butin de guerre.

Alors, on proposa un combat à mains nues. Le gagnant se voyait octroyer une mule indomptée et le second, une coupe splendide. Le noble Épéos s'avança et provoqua chacun d'eux d'une voix forte :

– Que celui qui veuille se battre avec moi se lève. Mais laissez vos amis se tenir à vos côtés pour vous venir en aide quand j'en aurai fini avec vous!

Épéos ne blaguait pas! Après un bref combat, il renversa, d'un puissant coup de poing, Euryale, le seul homme qui avait relevé son défi. Ce dernier fut transporté dans sa tente, inconscient et couvert de sang. Achille suggéra alors la lutte et

Le gagnant du combat recevra un trépied et le perdant, une belle esclave, aux travaux irréprochables.

Les jeux se poursuivirent avec un concours de lance. En premier lieu, les champions concoururent dans une sorte de duel ; quiconque parvenait à lacérer la peau de son adversaire et à faire couler un peu de sang serait le vainqueur. Le défi était entre Diomède et Ajax, fils de Télamon. Ils s'affrontèrent l'un l'autre avec beaucoup d'ardeur, mais aucun d'eux ne parvint à blesser l'autre. Le jeu devint alors dangereux. En effet, l'esprit combatif des adversaires fit peur et les spectateurs touchés demandèrent que la compétition soit suspendue et que les adversaires reçoivent des prix égaux.

D'autres concours de lancer suivirent. Agamemnon et Mérion se présentèrent. Avant qu'ils aient pu mesurer leurs habiletés, Achille dit :

— Agamemnon, chacun sait que personne ne peut te surpasser dans le lancer de la lance. Alors, prends ce vase de cuivre et à toi, Mérion, je donne la lance de bronze !

Tous approuvèrent et, avec ce geste, la paix fut scellée parmi les Grecs et la mémoire du fief, effacée.

Ainsi se terminèrent les jeux en l'honneur de Patrocle.

Un plat d'argent ciselé sera remis au gagnant de la course à pied. Le second gagnera un bœuf gras et le troisième, un demi- talent d'or.

Une course à pied commença, pour laquelle le premier prix serait un plat d'argent ciselé. Le second gagnerait un bœuf gras et le troisième, un demi-talent d'or. S'avançant, il y eut d'abord Ajax, fils de Oïlée, suivi du jeune Antilochos, fils de Nestor. Et, à la grande surprise de tous, Ulysse se leva, aussi fatigué fut-il après son combat avec Ajax. À partir d'une ligne tracée par Achille, les trois champions partirent à la course. Ajax prit immédiatement la tête, loin devant Antilochos, mais il ne parvint pas à distancer Ulysse qui était juste derrière. Les spectateurs encouragèrent les deux adversaires qui faisaient un dernier effort.

— Aide-moi à gagner, Athéna, pria Ulysse.

Et la déesse vint à son aide, faisant trébucher Ajax qui roula au sol juste au moment où il allait passer le fil d'arrivée. Un pas de plus et Ulysse gagna la course.

— Tu as reçu l'aide d'une déesse, rouspéta Ajax.

Mais Antilochos répondit :

— Eh bien, je l'admets, jeune comme je le suis, je ne peux rien contre le vieil Ulysse !

Tous se mirent à rire de bon cœur.

Diomède et Ajax, fils de Télémon, rivalisent au lancer de la lance.

Priam s'agenouille devant Achille, l'implorant de lui rendre le cadavre de son fils.

CHANT XXIV

Plusieurs jours passèrent sans qu'aucun combat ne survienne. L'affliction d'Achille ne s'apaisait pas. Chaque matin, après avoir passé la nuit à errer et à soupirer au bord de la mer, il attachait le cadavre d'Hector à son char et le traînait trois fois autour de la tombe de Patrocle. Cependant, le cadavre du héros ne se décomposait pas, puisque Apollon l'avait pris en pitié et le protégeait!

Mais il n'était pas le seul à avoir pitié d'Hector. Les autres dieux supplièrent Zeus de mettre fin à l'horrible boucherie, d'un côté, et à la douleur de Priam, de l'autre côté. Zeus accepta sombrement. Il envoya Thétis à son fils pour le persuader de rendre à Priam le cadavre de son adversaire et il envoya Iris, sa messagère, pour qu'elle pousse Priam à se rendre en toute confiance au campement des Myrmidons. Hermès l'y conduirait.

Alors, son char rempli de précieux cadeaux pour la rançon et de quelques draps de lin pour envelopper le cadavre de son fils, le vieux roi quitta la ville à la nuit tombée et, guidé par Hermès, se déroba, sans être vu, vers le campement des grecs.

Il atteignit la tente d'Achille où ce dernier était assis tristement avec quelques-uns de ses loyaux amis. Priam sortit alors de l'ombre et s'agenouilla devant Achille.

– Achille, dit-il, pense à ton père! Aie pitié de ma douleur! Rends-moi mon fils. Regarde, ajouta-t-il, j'embrasse la main qui a tué mon fils!

Il prit la main d'Achille et l'embrassa. Achille était surpris de voir le vieil homme dans sa tente. De plus, il était touché par ses mots et par son courage.

Il n'y avait plus de colère ni de rancœur dans son cœur, mais seulement de la tristesse et de la compassion. Il murmura :

– Ah! vieil homme, je peux voir à quel point était vive ta douleur! Mais comment peux-tu trouver la force de venir seul dans ma tente? Tu sais que tu cours un danger mortel en venant ici. Tu as sûrement obtenu l'aide des dieux. Ne pleure plus, Priam. Tu n'en as plus besoin. Oui, tu n'es pas venu ici en vain, et tu ne m'as pas rappelé mon père en vain. Lui aussi, comme toi, est destiné à souffrir, car mon destin est de mourir sous les murs de Troie. Ne pleure pas, vieil homme, ne te désole plus!

Après avoir versé quelques larmes, le héros releva Priam. Puis il ordonna à ses esclaves de laver le cadavre d'Hector, de le parfumer et de l'envelopper dans les draps de lin apportés par le roi de Troie. De retour dans sa tente, Achille dit :

– Reprends ton fils. Assez de larmes ont été versées. Viens boire et manger avec moi, en l'honneur d'Hector.

Sur ce, le jeune héros et le vieux roi s'assirent à table l'un en face de l'autre, dans un grand respect l'un pour l'autre. Achille était fort et brave. Priam était sage et prudent. Ils étaient tous deux d'égale noblesse. Finalement, Achille demanda :

– Combien de jours consacrerez-vous aux funérailles de ton fils?

– Nous devrions le pleurer pendant neuf jours et l'ensevelir au dixième jour. Le onzième jour, nous devrions donner un festin en son honneur. Ensuite, nous devrions être de nouveau prêts pour le combat, répondit Priam.

– Alors, pendant douze jours, je suspendrai toute hostilité, dit Achille d'une voix basse.

En signe de loyauté, il serra la main du vieux roi.

Peu après, Priam monta tristement dans son char où le cadavre de son fils avait été placé et, dans le silence profond de la nuit, retourna à Troie.

Du haut de la tour, sa fille, Cassandre, le reconnut lorsqu'il arriva et cria :

– Troyens! Venez voir! Hector revient chez lui! Venez voir!

Ils arrivèrent tous en hâte et les portes de la ville furent ouvertes bien grand pour faire entrer le char du roi et son triste fardeau. Le corps d'Hector fut couché au milieu d'une grande pièce du palais. Parmi les pleurs, les gémissements et les lamentations, la très belle Andromaque arriva. Elle s'agenouilla, regarda le visage livide de son mari et murmura :

– Tu es mort trop jeune, Hector, et tu m'as laissée trop tôt. Et tu m'as laissé ton fils. Il ne peut pas encore parler, mais, Hector, j'ai peur qu'il ne vive pas vieux, maintenant que tu n'es plus là pour le défendre.

Andromaque pleura. À ses côtés, la vieille Hécube et la belle Hélène pleuraient aussi, et à travers le palais et à travers la ville, tout le monde versait des larmes.

Mais Priam ordonna :

– Cela suffit, maintenant! Apportez du bois pour le bûcher funéraire. Vous pouvez l'ériger sans crainte à l'extérieur des murs de la ville, car Achille a promis de suspendre la guerre pendant douze jours.

Pendant neuf jours, alors que les gémissements se poursuivaient, ils ramassèrent du bois dans la

Priam rentre à Troie avec le corps de son fils.

Andromaque pleure la mort de son mari.

campagne environnante. Ils construisirent un gigantesque bûcher sur lequel le cadavre d'Hector fut finalement couché. Puis ils y mirent le feu. Lorsque les dernières braises du bûcher furent éteintes avec du vin, les cendres du héros furent placées dans une urne d'or qui, enveloppée dans un drap de couleur pourpre, fut ensuite mise dans une tombe et couverte de pierres énormes.

Ensuite, comme le voulait la coutume, tous se rassemblèrent dans le palais de Priam et s'assirent au banquet funèbre.

Ce furent les derniers hommmages rendus à Hector, le dompteur de chevaux.

La mort d'Hector ne marqua pas la fin de la guerre qui devait durer, et qui ne devait pas non plus se terminer par la mort d'Achille — touché par une flèche tirée d'un coup sûr par Pâris. Le destin du héros qui avait choisi une vie brève mais glorieuse avait suivi son cours. Mais Troie résistait toujours.

Troie allait tomber à cause d'une supercherie. Elle allait tomber quand les Grecs, sur le conseil d'Ulysse, firent semblant de quitter leur siège et, sur la rive où ils avaient érigé leur campement, laissèrent un immense cheval de bois. Dans ce cheval (que les Troyens prirent pour un cadeau des dieux), étaient cachés les plus valeureux guerriers grecs. Dans la tranquillité de la nuit, ils sortirent de leur cachette et, cette fois-ci, il ne devait pas y avoir de salut pour la ville. Les portes furent ouvertes et les Grecs, profitant de la noirceur pour naviguer de nouveau vers la rive, marchèrent inexorablement dans la ville. Les massacres et les incendies marquèrent la fin de Troie. Presque tous ses défenseurs furent tués, le jeune fils d'Hector fut tué, le vieux Priam fut tué. Mais leur mémoire devait rester pour toujours, tout comme le souvenir de leurs vainqueurs.

Achille allait être célébré éternellement et honoré aussi éternellement tout comme le serait son regrettable rival, Hector, qui était mort pour défendre sa terre et son peuple.

Les Troyens traînent le cheval de bois dans les murs de la ville, pensant qu'il s'agit d'un cadeau des dieux.

L'ODYSSÉE

TORMONT

CHANT I

Pendant longtemps, les princes grecs avaient assiégé les formidables murs de Troie, en Asie Mineure. Ils avaient lutté pour venger l'honneur de Ménélas, roi de Sparte, et l'honneur de la Grèce. Le prince troyen Pâris avait convaincu la femme de Ménélas, la belle Hélène, de quitter Sparte pour vivre avec lui à Troie. Le siège dura dix ans, jusqu'à ce que les Grecs finissent par gagner. Cependant, ils ne gagnèrent pas par la force, mais simplement par la ruse d'un homme — Ulysse, le roi d'Ithaque. L'histoire de la guerre de Troie est racontée dans *L'Iliade*.

Quittant Troie saccagée et incendiée, les princes grecs embarquèrent dans leurs vaisseaux et naviguèrent vers leur patrie. Certains arrivèrent sains et saufs et reprirent leur trône, mais furent trahis et tués par des rivaux qui convoitaient leur place. D'autres, plutôt que de rentrer chez eux, partirent vers de nouveaux pays éloignés. Mais,

dix ans après la guerre, chacun des rois était rentré, sauf un : Ulysse. Il était pourtant parti en même temps que tous les autres. Une après l'autre, les voiles de ses vaisseaux étaient disparues à l'horizon et personne ne les avait revus.

Son peuple l'avait attendu en vain sur l'île rocheuse d'Ithaque. Depuis, une année s'était écoulée, puis deux, puis trois. Rien. D'autres années et toujours rien. Était-il possible d'espérer et d'attendre plus longtemps? Ou était-il plus sage de s'incliner devant la volonté des dieux et d'accepter qu'Ulysse soit mort? Non. Ulysse n'était pas mort. Il aspirait à rentrer chez lui même si, dans son cœur, après mille aventures, l'espoir de revoir Ithaque était de plus en plus faible. Où était-il? Avec qui était-il? Qui le gardait ainsi éloigné? Personne ne le savait. Les dieux, eux, le savaient cependant, car le destin des hommes reposait dans les mains de Zeus, le roi de tous les dieux.

Sur l'Olympe, la montagne des dieux, Athéna, la protectrice d'Ulysse, implora son père Zeus.

– Ô mon père, se plaignit-elle, mon cœur se désole pour le destin d'Ulysse. Il est gardé prisonnier sur une petite île, par la nymphe Calypso, fille d'Atlas, qui connaît la mer dans toutes ses profondeurs et transporte sur ses épaules les colonnes qui soutiennent le ciel et la terre.

– Cette jeune fille est amoureuse d'Ulysse, répondit Zeus. Elle le garde prisonnier, certes, mais ne lui fait aucun mal.

– Mais ses mots doux, ô mon père, et sa tendresse sont comme des chaînes pour Ulysse. Il n'est pas heureux sur l'île de Calypso, et son envie de revoir Ithaque est si grande qu'il désire mourir. Père, tous les rois de Grèce ont maintenant regagné leurs royaumes. Pourquoi, après dix années, ne permets-tu pas à Ulysse de rentrer, lui aussi?

– Ma fille, ce n'est pas moi qui empêche son retour! C'est Poséidon, le dieu des mers, qui déteste Ulysse parce qu'il a rendu aveugle son fils préféré, le cyclope Polyphème. Il est temps, cependant, que Poséidon mette fin à sa persécution. Ithaque a besoin d'un roi.

– Père, que ta volonté soit faite, dit Athéna aux yeux bleus. Ulysse est sur l'île Ogygie. Envoie ton messager, Hermès, pour qu'il ordonne à Calypso de le libérer.

– Ogygie est très loin d'Ithaque, fit observer Zeus, et Ulysse n'a pas de vaisseau. Comment pourra-t-il rentrer chez lui?

– Un radeau suffira. Personne ne connaît la mer aussi bien que lui.

Après avoir regardé les autres dieux qui acquiescèrent en silence, Zeus dit:

– D'accord! J'enverrai Hermès à Ogygie.

Un sourire illumina le beau visage d'Athéna.

– Et j'irai moi-même à Ithaque, dit-elle, voir Télémaque, le fils d'Ulysse, car il se passe là des choses qui remplissent mon cœur de colère.

– Qu'est-ce qui arrive à Ithaque, ma sœur? demanda Arès, le dieu de la guerre.

– Avant de partir pour la guerre de Troie, Ulysse a épousé une femme très belle et très sage, Pénélope. Juste avant qu'il ne quitte son royaume, elle lui a donné un fils. Ce fils, Télémaque, a maintenant vingt ans. Eh bien, voyant qu'Ulysse ne rentre pas, quelque quarante jeunes hommes, tous de descendance noble, sont venus demander la main de Pénélope. Celui qui l'épousera, acquerra aussi le royaume d'Ithaque et tous les biens d'Ulysse.

– Je ne vois rien de mal à cela, répondit Arès.

– Il est plutôt naturel qu'une femme aussi belle, sage et riche qu'elle soit courtisée. Mais les jeunes

hommes qui sont ses prétendants se conduisent de la manière la plus indigne qui soit. Ils jouent aux seigneurs et maîtres dans la maison d'Ulysse!

– Et que dit Télémaque de tout cela? Pourquoi ne réagit-il pas?

– Ce n'est qu'un jeune à qui l'on n'a jamais appris à combattre. Que pourrait-il contre quarante hommes?

– Et qu'en est-il du père d'Ulysse, Laerte?

– Autant Télémaque est trop jeune, autant Laerte est trop vieux. Il a quitté le palais il y a bien des années et, maintenant, il vit dans une hutte de paysan dans la campagne.

– Mais pourquoi les gens d'Ithaque ne se rebellent-ils pas?

– Parce qu'ils ont perdu tout espoir de revoir leur roi, Ulysse.

– Et comment Pénélope s'y prend-elle pour tenir les prétendants à distance? demanda Zeus.

Athéna fit un grand sourire.

– Pendant quelques années, elle a eu recours à une ruse pour se dérober à leur requête. Elle a commencé à tisser un drap pour Laerte. «À sa mort,» leur a-t-elle dit, «j'aimerais que le père de mon mari soit enveloppé dans un drap digne de lui. Lorsque j'aurai fini de le tisser, je choisirai parmi vous mon nouveau mari.»

– Il ne faut pas des années pour tisser un drap, fit remarquer la déesse Héra.

– Bien sûr que non, répondit Athéna, mais Pénélope défaisait la nuit ce qu'elle avait tissé le jour et, ainsi, elle a pu faire durer son travail. Hélas! les prétendants ont découvert sa ruse et, maintenant, elle est obligée de leur donner une réponse. C'est pour cette raison qu'il est nécessaire d'agir avec rapidité, et de permettre à Ulysse de rentrer à Ithaque.

Zeus approuva et dit:

– Fais ton devoir, ma fille.

Athéna supplie Zeus de permettre à Ulysse de rentrer en son pays natal.

Pendant que Télémaque parle à Halithersès, deux grands aigles apparaissent dans les airs, comme un signe du ciel.

CHANT II

Pendant ce temps, dans le palais d'Ithaque, les prétendants se divertissaient comme d'habitude. Ils mangeaient, buvaient, parlaient de la beauté de Pénélope, se moquaient d'Ulysse qu'ils croyaient mort, riaient de Télémaque et obligeaient le vieux Phémios, le troubadour d'Ulysse, à jouer de la lyre et à chanter pour eux.

Ils écoutaient une ballade lorsque les servantes annoncèrent à Télémaque qu'un étranger venait d'arriver. L'hospitalité était un devoir sacré pour les Grecs et le jeune prince s'empressa d'accueillir le visiteur qui était grand, fort et avait noble apparence.

— Sois le bienvenu, mon ami, dit Télémaque, dans ce qui fut un jour la maison d'Ulysse. Qui es-tu? D'où viens-tu?

— Je m'appelle Mentès et je suis le fils du roi des Taphiens, répondit l'étranger. Je suis venu à Ithaque parce que je connaissais bien Ulysse et que j'espérais le trouver ici.

Baissant la tête, Télémaque lui dit:

— Il n'est pas là. Il n'est pas revenu de Troie. Ses os reposent peut-être sur quelque rive éloignée ou dans les profondeurs de la mer.

— Peut-être, répondit Mentès et, montrant les prétendants du doigt, il ajouta:

– Et qui sont-ils?

– Ce sont les prétendants, des gens ignobles et insolents qui vivent des biens de mon père et dilapident sa fortune. Ils disent qu'ils veulent épouser ma mère et, entre-temps, se conduisent comme ses maîtres.

– Et toi?

À cette question, Télémaque ne sut que répondre et baissa les yeux. Alors, Mentès lui dit en souriant:

– Il n'en tient qu'à toi d'agir, Télémaque. Tu dois aller chercher des nouvelles de ton père. Il n'est peut-être pas mort comme le croient les prétendants. Peut-être reviendra-t-il et, s'il le fait, ce jour sera un jour sanglant. Va, mon jeune ami. Prépare un vaisseau et rends d'abord visite à Nestor, le plus sage de tous les Grecs. Va ensuite voir Ménélas, roi de Sparte. Je suis certain qu'à eux deux, ils pourront t'aider.

– Je te remercie, Mentès. Je suivrai tes conseils. Entre, maintenant, viens te reposer et partager mon repas.

Mais Mentès (qui était Athéna, déguisée) secoua la tête en disant:

– Je suis désolé, je ne le puis. Je dois poursuivre mon chemin.

Et sur ces mots, il disparut, laissant Télémaque rempli de merveille et de crainte, mais aussi d'espoir.

Le vieux Halithersès, qui connaissait l'art d'interpréter les vols d'oiseaux et pouvait prédire l'avenir, vint le voir. Il avait remarqué que le mystérieux invité avait disparu comme par magie et demanda:

– Qui était cet homme, Télémaque?

– Je ne sais pas, répondit le jeune homme, troublé, mais il m'a donné un bon conseil. Il m'a dit que mon père pouvait encore être en vie... Là! s'exclama-t-il soudain, en levant la main, regardez, là!

Tous levèrent les yeux au ciel. Deux grands aigles étaient apparus. Battant de leurs immenses ailes, ils descendirent presque jusqu'au sol et, après s'être déchiré le cou l'un l'autre à coups de serres, s'élevèrent dans le ciel et disparurent. Impressionnés, les prétendants demeurèrent silencieux. Le vieux et sage Halithersès chuchota:

– Cela veut dire qu'Ulysse reviendra et fera justice.

Pendant que les prétendants poursuivaient leur festin, Télémaque passa le reste de la journée à réfléchir aux paroles de Mentès. «Il a dit qu'il s'appelait Mentès, se dit-il, mais je ne le crois pas. Non.

Le vaisseau de Télémaque s'éloigne d'Ithaque.

«C'était un dieu et il est venu m'apporter un message. Il voulait que je sache que mon père n'est pas mort. Et qu'ai-je fait pour lui, jusqu'ici? Rien! Je suis resté ici, croyant protéger ma mère, mais comment puis-je la protéger contre quarante hommes? Il est temps que je parte... Ce dieu, peu importe qui il est, m'a prévenu d'aller d'abord voir Nestor, puis Ménélas. C'est ce que je ferai. Je trouverai probablement quelque chose au sujet de mon père.»

Cependant, il n'y avait plus aucun vaisseau pour Télémaque, depuis que la flotte royale était partie à la guerre, avec Ulysse. Mais le jeune homme avait beaucoup d'amis et, plus que tout, il avait l'aide d'Athéna. C'est elle qui trouva le vaisseau et elle murmura à l'oreille de quelques jeunes hommes d'Ithaque:

– Va au bord de la mer; tu trouveras un vaisseau. Monte à bord et prépare-toi à naviguer avec Télémaque!

Un à un, les jeunes obéirent et, au crépuscule, ils étaient tous à bord du magnifique vaisseau. Athéna prit l'apparence de Mentor, un vieux prophète et ami d'Ulysse et, rentrant au palais, dit à Télémaque:

– Que fais-tu encore ici? Tes compagnons t'attendent. Cours au vaisseau!

– Au vaisseau? demanda le jeune, abasourdi.

– Oui! Ne perds plus de temps! Ne va pas avertir ta mère! Pars tout de suite! Mais fais attention aux prétendants — ils ne doivent pas entendre parler de ton départ!

– Mais ma mère... murmura Télémaque.

Mentor secoua la tête.

– Non, il n'y a plus de temps à perdre! Pars tout de suite et dépêche-toi!

Peu après, le jeune courut à la plage où ses compagnons l'attendaient, sans savoir pourquoi. Il leur dit:

– Partons, mes amis. Nous avons une mission importante à accomplir!

Lorsque la lune s'éleva dans le ciel, le vaisseau s'éloigna de l'île. Bientôt une légère brise se mit à souffler. Télémaque, qui était assis à la poupe près du gouvernail, demanda à Mentor (qui, en fait, était Athéna):

– Où devons-nous aller, maintenant?

– À Pylos, où demeure Nestor.

– Ma vie dépend de ce voyage. Je peux le sentir. Il est nécessaire que je découvre quelque chose au sujet de mon père... mais qu'est-ce que Nestor pourra bien me dire?

– Peut-être rien. Mais il sera sûrement capable de te donner quelques bons conseils. Nestor était le plus sage de tous les Grecs qui ont combattu sous les murs de Troie. Ne l'oublie pas.

– Cet étranger qui a dit s'appeler Mentès, poursuivit Télémaque, je pense que c'était un dieu... Bien, il m'a aussi conseillé d'aller voir Ménélas.

Mentor répondit:

– Et tu le feras. C'est la première fois que tu quittes Ithaque, la première fois que tu vas en mer et voyages en terre éloignée, mais n'aie pas peur. Je suis certain que quelqu'un, parmi les dieux, t'aide et reste à tes côtés!

Télémaque ne pouvait pas s'imaginer qu'à ce moment précis, c'était une déesse qui lui parlait. Avec un bon vent gonflant ses voiles, le vaisseau avança sur la grande mer dans laquelle se réfléchissaient les étoiles.

CHANT III

Le lendemain, une colonne de fumée apparut tout au loin. Le vaisseau s'approchait de Pylos, et, sur la plage, on pouvait voir un groupe de personnes. Parmi elles, se tenait un vieil homme très grand, aux cheveux blancs. Le montrant du doigt, Mentor s'exclama :

– Télémaque! C'est lui, Nestor!

En effet, là sur la plage, Nestor, venant juste d'offrir un sacrifice, se tenait devant un autel duquel s'élevait la fumée qu'ils avaient vue du vaisseau. Mentor et Télémaque se présentèrent à lui et Nestor accueillit le jeune homme avec émotion et affection.

– Sois le bienvenu, fils d'Ulysse. Tu me rappelles des temps anciens où il n'y avait pas de tristesse. La tristesse et le tragique n'étaient pas apportés par la guerre, mon fils, mais lors de nos voyages de retour. Beaucoup de nos amis n'ont jamais revu leur maison et quelques-uns, à peine arrivés, ont trouvé la mort au lieu de la paix. Tu es venu me demander des nouvelles d'Ulysse, ton père?

– Oui, je dois trouver quelque chose à son sujet. Ma mère est sur le point de donner sa réponse aux prétendants qui veulent l'épouser... et qui dépensent notre fortune et tachent notre honneur.

Télémaque se rend sur la plage de Pylos où Nestor offre un sacrifice.

Polycaste — la plus jolie fille de Nestor — aide Télémaque à se laver et à se vêtir.

— Malheureusement, je ne sais rien d'Ulysse. Va voir Ménélas, répondit le vieux Nestor, et demande-lui son avis. Mais avant, tu dois passer la nuit dans mon palais, parce que je peux lire sur ton visage que tu es épuisé. Et qu'il ne soit pas dit, conclut-il en s'éloignant, que lorsque le fils d'Ulysse est venu à moi je ne l'ai pas accueilli comme mon propre fils!

Peu après, Mentor et Télémaque furent reçus dans le somptueux palais de marbre. La plus jeune et la plus jolie des filles de Nestor, Polycaste, baigna le prince, le frictionna avec de l'huile parfumée et l'aida à se vêtir. C'était un honneur réservé aux invités. Plus tard, un grand banquet fut donné. Tout en buvant son vin à petites gorgées dans sa coupe d'or, Nestor déclara:

— Oui, Télémaque, c'est ton père qui nous a permis de conquérir Troie. Après dix années de siège et de combats, nous étions toujours là, sous les murs de Troie, et un grand nombre de nos meilleurs guerriers étaient tombés. Achille, le plus fort de tous, celui qui, par sa seule présence, fit fuir les Troyens, mourut. Il fut tué, poursuivit le vieil homme en soupirant, par une flèche lancée par Pâris. Comment pouvions-nous espérer entrer dans la ville après sa mort? C'est alors que ton père eut une idée merveilleuse. Il fit construire un énorme cheval de bois, si gros que nos soldats les plus forts, vêtus pour le combat, furent capables de se cacher dans son ventre creux. Ensuite, nous avons défait les tentes, démantelé tout notre campement, chargé nos vaisseaux et fait croire que nous rentrions chez nous. En se réveillant, le lendemain matin, les Troyens n'ont pas vu un seul Grec sur la plage; seulement un immense cheval de bois!

— J'en ai entendu parler, dit Télémaque, pensif.

— Ton père avait tout prévu. Les Troyens ont traîné le cheval dans les murs de la ville et, sans un seul coup d'épée, nous sommes entrés dans Troie que, depuis dix ans, nous essayions de conquérir. Ulysse nous ordonna d'attendre dans le ventre du cheval jusqu'à ce qu'il fasse nuit, et, lorsque tout fut silence et que les Troyens s'étaient endormis tellement confiants qu'ils n'avaient pas pris soin de placer des sentinelles sur les murailles, ton père donna l'ordre aux guerriers de sortir, à la dérobée, du ventre du cheval.

— Pendant ce temps, profitant de la noirceur de la nuit, nos vaisseaux firent demi-tour. Les portes de Troie furent ouvertes par les guerriers qui étaient dans le cheval de bois et notre armée put envahir la ville. Tout le monde sait ce qui est arrivé par la suite. Les Troyens ont essayé de résister, mais ils ont été écrasés. La ville fut conquise et incendiée, et Hélène, la belle Hélène, pour qui nous avions lutté, a finalement été rendue à son mari, Ménélas.

— Télémaque, ajouta Nestor, demain tu iras voir Ménélas, à Sparte, et tu lui demanderas conseil. Je te donnerai un char et mes meilleurs chevaux afin que tu t'y rendes rapidement. Que ce soit la volonté des dieux qu'Ulysse soit encore vivant et qu'il puisse rentrer à Ithaque, qu'il aime tant!

— Je l'espère aussi, Nestor, répondit Télémaque, surtout pour ma mère qui, malgré son amour pour mon père, sera obligée d'épouser un autre homme s'il ne revient pas!

Un silence solennel tomba sur ces mots.

Plus tard, Télémaque, couché sur son lit, ne trouvait pas le sommeil. Il pensait au lendemain et au conseil que lui donnerait Ménélas. Le jour suivant, dans un char conduit par deux splendides chevaux, Télémaque et Mentor quittèrent

Pylos pour Sparte — la ville reconnue pour ses vaillants guerriers et sa belle reine.

Le voyage dans les montagnes rocheuses, aux sommets couverts d'oliviers, fut très agréable, mais le cœur de Télémaque était lourd de doute et de crainte face au destin de son père. Il osait à peine espérer qu'Ulysse ne soit pas mort, que quelqu'un le retenait captif dans une terre lointaine et que bientôt, il reviendrait...

– À quoi penses-tu, Télémaque? demanda soudain Nestor.

– Je pense que j'ai vingt ans, que j'ai beaucoup entendu parler des exploits de mon père... et que je ne le connais même pas. Mon ami, je ne le reconnaîtrais même pas si je le croisais sur cette route! N'est-ce pas triste?

Lorsqu'ils arrivèrent à Sparte, un festin avait lieu dans le magnifique palais de Ménélas. Le roi était assis à une table avec ses amis. Les acrobates les divertissaient et un barde jouait de la lyre tout en racontant des ballades sur des aventures glorieuses. En entendant que deux étrangers de noble descendance étaient arrivés dans un char conduit par deux solides chevaux, Ménélas ordonna à ses servantes de préparer des bains parfumés, des tuniques pourpres et de grandes capes blanches propres pour eux. Télémaque avait l'impression de vivre un conte de fées lorsqu'il fut lavé, enduit d'huile et vêtu par les plus jolies servantes. Il lui semblait ensuite marcher dans un rêve en traversant les pièces et les couloirs du palais. Il n'avait jamais vu un endroit aussi riche, aussi resplendissant d'or, de marbre et d'ivoire.

Télémaque se dirige vers Sparte dans un char conduit par deux splendides chevaux.

CHANT IV

Télémaque s'assit à la table de Ménélas et ce dernier ne lui demanda même pas qui il était.

— Bienvenue à Sparte, étranger. Mange et bois avec nous. Tu me diras plus tard si tu es venu m'apporter un message ou me demander une faveur. Je me suis tellement battu dans ma vie qu'aujourd'hui, je veux goûter aux bonnes choses que cette vie offre...

Ménélas s'arrêta quand il vit Télémaque demeurer bouche bée devant la porte qui venait de s'ouvrir. Il se retourna et sourit; sa femme Hélène venait juste d'apparaître. Hélène, la belle femme pour qui les Grecs et les Troyens avaient combattu dans une terrible guerre.

Hélène s'avança, plus belle que jamais dans sa robe blanche, ses cheveux gracieusement coiffés vers l'arrière. Elle se dirigea vers eux en souriant, prit place à côté de son mari et lui murmura à l'oreille, tout en regardant le jeune Télémaque:

— On m'a prévenue de l'arrivée de deux étrangers, mais nous ne savons pas leurs noms... Je vais dire quelque chose qui pourrait tout aussi bien être vrai que faux, mais mon cœur me presse de parler, Ménélas. Je dois donc te dire que je n'ai jamais vu quelqu'un qui ressemble autant à Télémaque, le fils d'Ulysse, que ce jeune homme qui est assis à ta table présentement!

— En effet, cette ressemblance m'a aussi frappé, mais...

Pisistras, le conseiller de Ménélas, intervint alors:

— Laisse-moi te dire, mon roi, que c'est en effet Télémaque, le fils d'Ulysse. Il est venu ici te demander conseil. Écoute-le!

— Le fils d'Ulysse! s'exclama Ménélas en tendant la main vers Télémaque. C'est, il est vrai, un jour heureux! Le fils d'un grand guerrier qui, à cause de la jalousie d'une personne, n'est pas encore rentré chez lui. Quel triste destin pour lui — le plus vaillant et le plus rusé de tous!

Entendant ces mots, Hélène versa doucement des larmes. Mais Télémaque rassembla tout son courage et lança:

— Ménélas, quarante hommes de noble descendance, mais au cœur vil, jouent aux seigneurs et maîtres dans la maison de mon père. Ils boivent son vin, mangent sa viande et ses fruits. Ils espèrent insolemment que ma mère choisisse l'un d'eux pour époux, et elle sera forcée de le faire — malgré tout son amour pour son mari.

Blanc de colère, Ménélas répondit:

— Donc, quelques chenapans bons à rien veulent épouser ta mère? Aie confiance, Ulysse reviendra et fera justice!

— Mon père est donc toujours vivant?

— Il l'est, répondit Ménélas, et je te dis cela, Télémaque, parce que je l'ai entendu d'un vieux prophète de la mer qui connaît tous ses secrets. Ce vieil homme m'a parlé de tous les princes qui ont combattu à mes côtés sous les murs de Troie. Il m'a dit que certains étaient morts, et que ton père était retenu captif sur une île par une nymphe nommée Calypso. Ulysse verse des larmes amères, car il se languit de rentrer à Ithaque. Mais il n'a ni vaisseau, ni amis, ni marins. Cependant, garde espoir, Télémaque, ton père reviendra. Quand, ajouta Ménélas, je ne puis le dire, mais jusque-là, si tu le désires, tu peux demeurer ici, à Sparte.

— Ne me demande pas de rester à Sparte, ô roi, répondit Télémaque. Je resterais volontiers ici, même toute une année, mais mes amis sont les invités du sage Nestor et j'ai laissé mon vaisseau à Pylos. Comment pourrais-je les abandonner pendant si longtemps?

— Tu as raison, Télémaque. À la place, accepte en cadeau, de ma part, quelques chevaux.

Télémaque sourit:

— J'accepterais ces chevaux avec joie si je vivais, comme tu le fais, dans cette terre de vastes plaines où il est possible de partir librement au galop. Mais ma minuscule île n'est pas faite pour les chevaux.

— Ce jeune homme parle sagement, dit Hélène. Il est bien le fils d'Ulysse, le plus brave de tous les Grecs! En fait, poursuivit-elle en regardant Télémaque de ses grands yeux de velours, tu dois savoir que ton père était aussi brave au combat qu'il était sage aux assemblées de guerre.

Le banquet se poursuivit et, dans le cœur de Télémaque, l'espoir avait ressurgi. Oui, son père reviendrait. Non seulement il châtierait les prétendants arrogants, mais il réconforterait sa mère Pénélope qui, depuis si longtemps, l'attendait, souffrait et soupirait. Qu'il soit sur une île déserte inconnue n'avait plus d'intérêt, ce qui importait c'était qu'il soit vivant et que, jusqu'à maintenant, on avait empêché qu'il revienne. Mais, pensa

Télémaque, il doit sûrement y avoir un dieu qui
l'aime et le protège, et qui fera tout ce qui est en
son pouvoir pour qu'il puisse reprendre la mer
et revoir Ithaque.

*Pendant que Télémaque parle à Ménélas, la belle Hélène
arrive.*

*Les prétendants décident de tendre un guet-apens
à Télémaque lorsqu'il reviendra à Ithaque.*

Pendant ce temps, au palais d'Ulysse, les prétendants découvrirent le départ de Télémaque. Et ils s'inquiétèrent de son absence prolongée. Eurymaque et Antinoos, les plus autoritaires parmi eux, convoquèrent leurs amis à une assemblée.

– Ne nous leurrons pas. Télémaque n'est plus un enfant. Nous ne savons pas où il est parti, mais nous pouvons facilement deviner qu'il est allé chercher des nouvelles d'Ulysse... ou de l'aide.

– De l'aide pour quoi? demanda l'un des prétendants.

– Ne peux-tu voir? Pour nous attaquer et nous chasser de sa maison, et peut-être pire encore! s'exclama Antinoos. Il est parti et, pour autant que je le sache, il a pris avec lui les meilleurs jeunes d'Ithaque, ceux qui sont les plus loyaux à lui et à son père. Il reviendra peut-être avec des alliés. Nous devons l'en empêcher. Il est nécessaire de le détruire avant qu'il ne nous détruise.

– Que suggères-tu que nous fassions, Antinoos? demanda un autre prétendant.

– D'aller au bord de la mer à sa rencontre, et de l'envoyer au diable pour qu'il tienne compagnie à son père! Il y a un endroit idéal pour attaquer un vaisseau: le détroit entre Ithaque et l'île de Samos. Donnez-moi un vaisseau et vingt hommes et je vous assure que Télémaque ne remettra jamais les pieds dans ce palais!

– Nous aurions dû l'empêcher de partir!

– En effet, mais il est trop tard, maintenant!

– Calmez-vous! cria Antinoos. De quoi avez-vous peur? Il reste encore du temps. Où qu'il soit allé, le jeune homme reviendra et probablement sans flotte. Ses alliés, s'il en a seulement trouvé, viendront plus tard. Nous devons agir immédiatement, alors qu'il s'y attend le moins.

– Nous sommes d'accord! s'écrièrent-ils tous.

Vingt d'entre eux s'avancèrent, prêts à exécuter le plan impitoyable d'Antinoos. Ils ne perdirent pas de temps. Ils se rendirent au port, équipèrent un vaisseau et naviguèrent pour aller tendre leur guet-apens.

Mais Médon, le messager d'Ulysse, un homme demeuré loyal à son roi qui était au loin, avait entendu la conversation des prétendants et, dès qu'Antinoos et ses amis furent partis, s'empressa de tout aller raconter à Pénélope.

Pénélope fut terriblement bouleversée par cette nouvelle. Elle n'avait pas été prévenue du départ de son fils. Elle ne put retenir ses larmes et, se tournant vers ses servantes, leur fit des reproches:

– Si vous saviez que Télémaque allait partir, pourquoi ne pas me l'avoir dit? J'ai peut-être perdu mon mari et maintenant, je vais aussi perdre mon fils! Que vais-je devenir? Sortez toutes! Laissez-moi seule!

Elle s'était jetée sur son lit et sanglotait de désespoir lorsque Athéna lui apparut sous la forme d'un fantôme blafard.

– Ne pleure pas, Pénélope, dit-elle. N'aie pas peur. Athéna te viendra en aide. Sois forte.

Et elle se dissipa lentement.

CHANT V

C'était un matin merveilleux. Le soleil brillait sur l'île d'Ogygie. La belle Calypso chantait et tissait une toile sur son métier à tisser en or quand Hermès, le messager des dieux, lui apparut soudain.

– Hermès! s'exclama la nymphe en devenant blême. Pourquoi es-tu ici?

– Tu dois connaître la raison qui m'amène, non, Calypso? lui répondit Hermès. Zeus m'a envoyé. Je ne suis pas heureux de t'apporter son message et son ordre, mais je dois lui obéir, tout comme toi aussi. Douce Calypso, notre père Zeus désire que tu libères Ulysse pour qu'il puisse retourner à Ithaque. C'est le message que j'avais à te faire.

Calypso baissa la tête et, essayant de contenir ses larmes, chuchota:

– Zeus est cruel envers moi! J'aime Ulysse et, s'il part, je serai malheureuse pour toujours. Mais je sais, poursuivit-elle, que je ne peux désobéir. Cependant, Hermès, tu dois savoir que je n'ai ni vaisseau, ni marins à donner à Ulysse et que

Hermès rend visite à Calypso pour lui dire qu'elle doit libérer Ulysse.

je dois simplement le confier à la mer. Au lieu de le libérer, je vais peut-être l'envoyer à la mort!

– Que la volonté de Zeus soit faite! répondit Hermès avant de disparaître.

Calypso quitta alors sa maison, marcha le long de la merveilleuse plage d'Ogygie et atteignit un promontoire où se tenait Ulysse. Il était assis là, scrutant la mer, les yeux remplis de larmes. Il ne remarqua pas la présence de Calypso avant qu'elle ne parle.

– Ne pleure plus, Ulysse. Tu es libre de partir si tu le désires.

– Libre de partir? demanda Ulysse, d'un air incrédule.

Calypso acquiesça d'un signe de tête:

– Oui, Zeus m'a donné un ordre. Sois brave! Construis-toi un radeau et je te donnerai des provisions. Zeus t'enlève à moi et il serait inutile de ma part, de pleurer ou d'hésiter. Va, Ulysse, suis ton destin!

Calypso reste sans bouger sur la rive, regardant le radeau d'Ulysse s'éloigner.

Le héros se leva et une nouvelle lueur brilla dans ses yeux. La mer, le radeau, Ithaque si loin, mais pas hors d'atteinte... la liberté, rentrer chez lui après une absence de vingt ans... Il serra les mains de Calypso.

– Merci, ma douce amie, je te garderai toujours dans mon cœur.

Puis, il se mit à abattre les plus grands arbres et à les couper en tronçons, les attachant les uns aux autres en les entrecroisant. Il coupa des pins et des aulnes, les tailla avec sa hache et les attacha solidement ensemble. Ainsi, en quelques jours seulement, il avait construit un grand radeau avec un tronc d'arbre en guise de mât, sur lequel il avait hissé une voile.

Pendant ce temps, Calypso préparait ses provisions avec mélancolie. Lorsque enfin tout fut prêt, ils se rencontrèrent sur la plage pour la dernière fois. Tout semblait être en faveur du départ d'Ulysse. La mer était calme et scintillait, et une douce brise soufflait de l'ouest.

– Tiens, Ulysse, lui dit la nymphe en lui tendant une tunique de valeur, mets ceci. Elle est digne du héros que tu es. Porte-la en mémoire de moi!

– Merci pour tout ce que tu as fait pour moi!

– Souviens-toi simplement de Calypso!

Ulysse poussa le radeau à la mer et hissa la voile qui fut immédiatement gonflée par la douce brise ; et il s'éloigna de plus en plus de l'île d'Ogygie. De la rive, Calypso le regarda s'éloigner, les yeux pleins d'eau. Elle resta là, immobile, à le regarder jusqu'à ce que son radeau disparaisse à l'horizon.

Pendant des jours et des jours, Ulysse navigua sur les eaux à bord de son radeau rudimentaire. Après presque trois semaines, la terre était en vue. Le voyage semblait vouloir avoir une fin heureuse... mais Poséidon, le dieu de la mer, soudain remarqua Ulysse et le feu de la vengeance lui brûla la poitrine.

– Non! tonna-t-il. Tu n'atteindras pas la terre si facilement, Ulysse!

Et, maniant son trident, il déchaîna une terrible tempête. Le ciel, qui jusqu'alors avait été clair, se couvrit de nuages noirs comme si la nuit était soudain tombée. La mer calme commença à s'agiter. De gigantesques vagues, surmontées d'une écume blanche, roulaient lourdement, créant des montagnes et de véritables gouffres sur lesquels le radeau montait ou chutait, accompagné du bruit effroyable du bois qui craque.

– Que vais-je devenir? pensa Ulysse, en s'agrippant désespérément au mât. Vais-je couler, maintenant, juste au moment où je pensais être enfin libre? N'aurait-il pas été préférable de tomber pendant que je me battais sous les murs de Troie?

Une vague, plus puissante que les autres, arriva à toute vitesse et éparpilla les rondins de son radeau. Dans un effort désespéré, Ulysse agrippa l'un d'eux et s'assit à califourchon dessus. Il était comme une brindille sans défense dans la tempête. Bien qu'il fut vite épuisé, il réussit à tenir tout de même le coup pendant deux jours. Au troisième jour, alors qu'il était sur le point d'abandonner, le vent tomba légèrement et la mer se calma. Les vagues le conduisirent vers une terre couverte de forêts et de rochers brillants.

– Je vais m'écraser contre ces rochers, craignit Ulysse. Ma vie et ma mort sont suspendues entre la mer et la terre.

Mais il reprit courage et prépara son corps épuisé pour une autre lutte.

– Si c'est là que repose mon salut, je devrai tenter d'atteindre la terre!

Ulysse lâcha le rondin et se mit à nager vers les rochers. Une vague gigantesque le balaya impitoyablement contre un rocher auquel il s'empressa de s'agripper. Était-il sauf?... Non. Une autre vague le tira loin du rocher escarpé, lui déchirant les mains. À bout de forces, Ulysse nagea en cherchant un endroit sans rochers... Enfin, il en trouva un. Oui, là, un fleuve se jetait dans la mer. Nageant dans cette direction, Ulysse cria, avec le peu d'énergie qui lui restait:

– Dieu de la rivière! Aide-moi! Qui que tu sois! Je t'en supplie!

Le dieu de la rivière entendit cette prière désespérée et, avec clémence, calma le cours de l'eau. Essoufflé, Ulysse nagea vers l'embouchure du fleuve, laissant l'eau salée derrière lui. Il remonta le fleuve pendant un certain temps et sentit enfin le sol ferme sous ses pieds. Râlant, le corps couvert de sang et d'ecchymoses, il sortit de l'eau et, tombant à genoux, embrassa le sol. S'affaissant parmi les roseaux de la rive, il essaya de se relever de nouveau, mais en vain. Après des efforts répétés, il réussit à se mettre debout et s'éloigna vers...

Poséidon déchaîne une terrible tempête pendant le voyage d'Ulysse.

Nausicaa et ses suivantes s'amusent.

CHANT VI

... Vers quoi? Il ne savait pas où il était. Il ne savait pas où aller. Il savait seulement qu'il était impuissant contre le froid, la faim et la soif, l'épuisement et les bêtes sauvages, et qu'il devait, à tout prix, trouver un abri pour s'étendre et dormir. Il s'enfonça dans les bois et s'abrita sous un arbuste au feuillage dense. Dès qu'il s'étendit, il succomba au sommeil. Mais, après un moment (combien de temps, il ne le savait pas), il fut éveillé par les cris enjoués de jeunes filles. Le destin avait mené Ulysse dans le royaume des Phéaciens. Leur ville, ainsi que le palais du roi Alcinoos, le père de la jeune Nausicaa, s'érigeait sur l'île où il avait posé pied. Nausicaa était dans la fleur de sa jeunesse, mince et souple comme un roseau, et très belle. Comment Ulysse pouvait-il s'imaginer qu'à quelques pas de lui, la princesse Nausicaa et ses suivantes jouaient? Inspirée par Athéna, la belle Nausicaa était descendue près de l'eau claire. Ses suivantes avaient lavé les vêtements, les avaient étendus au soleil, sur l'herbe, et, en attendant qu'ils sèchent, elles jouaient en-semble. Par la volonté d'Athéna, le ballon des jeunes filles roula très près de l'arbuste sous lequel Ulysse, épuisé, se cachait.

– À qui appartiennent ces cris que j'entends? se demanda-t-il. Aux nymphes de la forêt ou à des femmes? Où la mer m'a-t-elle déposé? Est-ce une île amicale ou un endroit habité par des brutes sans pitié? Quoi que ce soit, je dois savoir.

Se couvrant de quelques branches, il sortit de sous l'arbuste... Nausicaa et ses suivantes accou-raient pour chercher le ballon. À la vue d'un homme presque nu, échevelé, pâle et couvert de sel séché, elles s'enfuirent en poussant des cris de terreur. Une seule ne fut pas effrayée et de-meura sur place — Nausicaa. Elle resta là bien déterminée, remplie de courage, et regarda cet homme à l'allure bizarre qui était sorti des bois. Elle se serait aussi enfuie avec les autres si Athéna ne lui avait pas donné le courage de rester.

Alors Nausicaa attendit. Ulysse s'avança lente-ment en la regardant avec une admiration béate, parce qu'il ne se souvenait pas d'avoir vu une aussi jolie jeune fille. Il voulait se jeter à ses pieds et étreindre ses genoux dans un geste d'humilité, mais, se tenant droit devant elle, il lui dit :

– Je te salue, ô femme. Es-tu mortelle ou déesse ? Qui que tu sois, je te supplie d'avoir pitié de moi. J'ai survécu à un naufrage et, comme tu peux le voir, je suis dépouillé de tout. Je n'ai ni vêtements, ni nourriture et je ne sais même pas où je suis. Je te demande une seule chose — mortelle ou déesse — la pitié !

Nausicaa répondit :

– Étranger, tu es sur la terre des Phéaciens, dont le roi est le magnanime Alcinoos, mon père. Je suis sa fille, Nausicaa, et tu ne me sembles pas être un ennemi. Et vous, poursuivit-elle à l'égard de ses suivantes effrayées qui, cachées derrière les buissons, jetaient des regards furtifs et tendaient l'oreille, que faites-vous là ? Approchez. Cet homme ne nous veut aucun mal ; il a été projeté sur nos rives par la mer. Il a fait naufrage et il est de notre devoir de le prendre en pitié. Venez, apportez ce qu'il faut pour le laver, l'enduire d'huile et le vêtir.

Timidement, les suivantes obéirent et Ulysse leur dit :

– Laissez-moi, et toi aussi, Nausicaa. Je vais me laver, enduire mon corps d'huile et me vêtir moi-même. Je suis conscient du triste état dans lequel la mer m'a laissé.

Sur ces mots, il prit l'huile et les vêtements et alla au bord de la rivière où il lava le sel et le sable qui avaient collé à sa peau. Pendant ce temps, les suivantes, poussant des soupirs effarouchés, dirent à Nausicaa :

– Fuyons ! Ne vois-tu pas comme cet homme est inquiétant ?

Ulysse se lava minutieusement, se frotta avec l'huile, revêtit la belle tunique que Nausicaa lui avait donnée et Athéna, lui prêtant toujours assistance, le rendit encore plus beau. Lorsqu'il revint devant les jeunes filles, elles eurent de la difficulté à reconnaître le même homme qu'elles avaient vu peu de temps avant. Stupéfaite, Nausicaa chuchota :

– Sans l'aide d'un dieu, mes amies, cet homme n'aurait jamais atteint notre île. Il avait piètre apparence au début, mais regardez-le maintenant. Laquelle d'entre nous refuserait de le prendre pour époux ?

– C'est vrai ! murmurèrent les filles éblouies.

– Donnez-lui quelque chose à manger et à boire.

Ainsi fut-il fait et Ulysse put enfin assouvir sa faim et sa soif. La douce Nausicaa lui dit :

– Étranger, qui que tu sois, tu vas nous accompagner dans notre ville. Mais tu ne peux monter avec moi, dans mon chariot, car si les Phéaciens te voient à mes côtés ils vont probablement dire que tu es l'homme que j'ai choisi comme fiancé, et ce serait ni vrai, ni correct. Tu suivras donc loin derrière. Lorsque tu arriveras en ville, tu demanderas le palais d'Alcinoos. Vas-y sans crainte et demande à voir la reine et le roi. Si tu es naufragé et si tu désires rentrer chez toi, ma mère et mon père t'aideront.

Ulysse s'adresse à la belle Nausicaa.

Ayant ainsi parlé, Nausicaa monta dans son chariot et, donnant un coup de fouet à ses mules blanches, elle conduisit lentement pour qu'Ulysse puisse la suivre facilement. Quand la ville fut en vue, Ulysse s'arrêta. Nausicaa et ses suivantes poursuivirent leur chemin et, bientôt, disparurent parmi les premières maisons. Après avoir jeté un coup d'œil à la ville qui s'étendait le long d'une baie et surplombait la mer bleue, Ulysse s'agenouilla et dirigea ses pensées vers Athéna, car il savait trop bien qu'il lui devait la vie.

— Fille de Zeus, murmura-t-il, écoute-moi. Fais que les Phéaciens m'accueillent dans leur palais et qu'Alcinoos, leur roi, me reçoive avec la même compassion que j'ai sentie chez Nausicaa.

Ulysse s'agenouille et rend hommage à Athéna qui lui a sauvé la vie.

Puis il se releva et poursuivit son chemin. Athéna l'entendit et décida de lui venir en aide en le rendant invisible aux yeux des Phéaciens, car, même s'ils étaient amicaux envers les étrangers, ils demeuraient toujours un peu méfiants à leur égard. La déesse enveloppa donc le corps d'Ulysse d'un léger brouillard, le cachant aux yeux de tous. Ulysse avança le long des routes bien pavées, le long du port où plusieurs vaisseaux étaient amarrés et admira les temples aux hautes colonnes blanches, tout près. Ignorant qu'il était invisible, il fut tenté de demander son chemin, mais que ce serait-il passé si quelqu'un avait entendu une voix sans voir personne? Athéna ne voulait certainement pas qu'une telle chose arrive et c'est pour cela qu'elle inspira silence à Ulysse.

Pendant ce temps, le cœur battant à tout rompre, Nausicaa était revenue au palais avec ses suivantes qui avaient rapporté avec elles les vêtements fraîchement lavés.

— Qu'y a-t-il, ma fille? demanda la Reine.

— Rien, mère, fit Nausicaa.

— Mais pourquoi ce rouge sur ton visage?

— Ce doit être l'effort que j'ai fait pour conduire mon chariot! répondit la jeune fille.

Elle courut se réfugier dans sa chambre d'où elle surveilla avec impatience, par la fenêtre, l'arrivée de l'étranger qui était venu de nulle part et qui était beau comme seul un homme protégé par les dieux pouvait l'être.

Ulysse errait toujours dans la ville. Les maisons étaient tellement imposantes qu'il ne pouvait savoir laquelle était le palais royal. Soudain, il vit une belle jeune fille qui transportait une grosse urne de vin. Elle semblait si raffinée, et son sourire était si charmant qu'il se dirigea immédiatement vers elle.

— Gentille dame, dit-il, m'indiquerais-tu le palais du noble Alcinoos? Je suis étranger ici. Je ne connais pas une seule âme... et on dirait que personne ne remarque ma présence. En fait, personne ne m'a même regardé!

La jeune fille, qui n'était autre qu'Athéna, répondit:

— Bien sûr, étranger. Suis-moi. Marche en silence et je t'indiquerai le chemin jusqu'au palais. Ne regarde personne, ne parle à personne. C'est ainsi que sont les Phéaciens. Ils ne font pas confiance aux étrangers.

*Athéna conduit Ulysse au palais d'Alcinoos,
roi des Phéaciens.*

CHANT VII

Athéna partit et Ulysse, invisible, la suivit jusqu'au seuil d'un immense palais aux colonnes de marbre, fermé par une gigantesque porte de bronze.

— C'est ici, étranger, tu es arrivé. Entre directement et ne crains rien, car seuls les hommes intrépides sont respectés. Tu trouveras le roi et sa cour au banquet habituel. Mais avant, va rendre hommage à la reine; elle se nomme Arété. Elle a beaucoup d'influence sur Alcinoos, son mari. Si tu lui plais, tu peux être certain que, quelle que soit ta requête, elle te sera accordée.

— Je n'ai qu'une requête, répondit Ulysse pensif, de l'aide pour retourner dans ma terre natale.

— Alors, entre le cœur en paix! dit Athéna.

Elle disparut laissant Ulysse perplexe devant la somptueuse entrée du palais, ses murs de bronze ornés de frises d'argent et ses portes d'argent et d'or.

— Si Alcinoos est aussi noble qu'il est riche, pensa Ulysse en hésitant sur le seuil de la porte, il ne voudra pas recevoir un parfait étranger comme moi. Bien des années se sont écoulées depuis la guerre de Troie. Bien sûr, mon nom était alors célèbre, mais aujourd'hui? Qui est Ulysse?

Cependant, son découragement ne dura pas. Il se souvint du conseil d'Athéna.

— Entre le cœur en paix!

Alors il traversa le seuil du palais d'Alcinoos.

Les princes Phéaciens étaient assis à la table du banquet, entourant le roi Alcinoos et la reine Arété comme une couronne scintillante. Personne ne remarqua l'arrivée d'Ulysse parce qu'il était toujours enveloppé de ce brouillard qui le rendait invisible. Traversant la salle, qui résonnait de cris joyeux, Ulysse se fraya un chemin jusqu'à la reine. Il la saluait quand, soudain, le brouillard autour de lui se dissipa. Tout à fait ahuris, les Phéaciens le virent là, agenouillé, tendant les bras vers Arété. Un grand silence tomba sur l'assemblée et Ulysse dit:

— Arété, je m'agenouille devant toi et ton mari après de longues souffrances. Que les dieux vous accordent le bonheur, à toi et à ton mari, ainsi qu'à tes invités. Et je te supplie de m'aider à retourner dans mon pays, car d'en être ainsi éloigné est pour moi une douleur profonde.

Ayant fait sa demande, et selon la coutume à cette époque, Ulysse se retira lentement en signe d'humilité et s'assit près des cendres de l'âtre. Personne n'osa parler, tous étaient encore trop surpris. Finalement, le vieil Échénéos, le plus sage des Phéaciens, brisa le silence.

— Alcinoos, qui que soit cet invité inattendu, il est certainement envoyé par Zeus. Ne le laisse pas s'asseoir dans les cendres, mais donne-lui le siège qu'il mérite!

Alcinoos se leva immédiatement, prit Ulysse par la main et dit:

– Viens, étranger. Viens t'asseoir près de moi à la place de mon fils préféré, Laodamas. Il se lèvera pour te céder sa place.

Il claqua des doigts et une servante se précipita avec un pichet d'eau parfumée et une serviette blanche. On mit la table pour Ulysse avec la plus précieuse vaisselle. Puis Alcinoos dit:

– Remplissez les coupes de tous les invités! Et après avoir bu, mes amis, vous irez au port affréter un vaisseau afin qu'il soit prêt à prendre le large le plus tôt possible. Cet homme, envoyé ici par les dieux, nous a demandé notre aide. Qu'il ne soit pas dit que les Phéaciens auront refusé de la lui donner. Mes amis et mes vassaux, je vous attends tous ici demain matin et je demanderai à notre hôte de nous raconter son histoire!

– Mon histoire, ô roi, répondit Ulysse, est bien triste. Cela, je peux te le dire tout de suite. Les dieux seuls m'ont sauvé la vie. J'ai fait naufrage sur ton île, sans ressource et misérable.

– Plus tard, mon ami. Tu dois sûrement avoir faim et soif. Commence par satisfaire ces besoins.

Alors Ulysse but et mangea pendant que les invités partaient, le laissant dans la salle avec le roi et la reine Arété qui remarquait toujours tout. Elle fut la première à reconnaître la tunique que portait Ulysse et lui dit:

– Étranger, j'aimerais tout d'abord te poser quelques questions. Qui es-tu et d'où viens-tu? Et qui t'a donné ces vêtements? N'as-tu pas dit que tu avais fait naufrage?

– Oui, sa majesté. Je viens de très loin, d'Ogygie, l'île de la nymphe Calypso, tout à l'ouest. Après une longue détention dans cette île, je suis parti sur un radeau parce que j'étais seul et je n'avais personne pour m'aider. Après un long voyage, alors que ton île était visible, Poséidon qui garde rancune contre moi, a déchaîné une terrible tempête. Je m'en suis sorti par miracle, en nageant jusqu'à la rive... Ces vêtements, m'as-

tu demandé? Ils viennent effectivement de ton palais. En fait, la première personne qui m'ait pris en pitié et qui m'ait parlé est la belle Nausicaa, ta douce fille. Elle m'a offert à manger, elle m'a donné ce qu'il fallait pour que je me lave et m'a dit de venir ici et de demander votre aide.

– Ce n'était pas bien de la part de Nausicaa! s'exclama Alcinoos. Elle aurait dû t'amener directement au palais.

– C'est vrai, approuva Arété.

Mais Ulysse, secouant la tête, répondit:

– Non, je ne voulais pas la suivre de trop près parce que je respecte le roi!

– Tu parles comme un sage homme, étranger! murmura Alcinoos. Comme j'aimerais qu'au lieu de partir, tu restes ici, peut-être comme époux d'une de mes filles! Mais je tiendrai ma promesse à tout prix et, pas plus tard que demain, un vaisseau te conduira où tu désires aller.

La reine Arété se leva et frappa dans ses mains. Ses servantes accoururent à l'instant.

– Préparez un lit confortable avec les draps les plus doux et les plus colorés. Étranger, tu dormiras ici, sous ce portique.

Ulysse salua d'un signe de tête et répondit:

– Reine, tu me rends un grand honneur. En ce qui me concerne, je pourrais dormir parmi les cendres de ton âtre, tellement profonds sont le respect et la gratitude que j'ai à ton égard.

Le roi et la reine attendirent jusqu'à ce que les servantes aient apporté le lit. Avant de prendre congé, Alcinoos dit:

– Demain, si tu le désires aussi, étranger, tu nous révéleras ton nom. Dors maintenant, car tu en as certainement besoin. Demain, les Phéaciens te présenteront leurs respects et, comme je te l'ai promis, un vaisseau sera prêt à te conduire dans ta terre natale, où qu'elle soit. Partons, ma reine, et laissons l'étranger que Zeus nous a envoyé se reposer comme il le mérite.

Alors après le naufrage et sa rude épreuve, Ulysse put enfin se reposer dans un lit et apaiser ses membres fatigués.

*Ulysse demande aide et protection au roi et à la reine
des Phéaciens.*

Le matin, une grande agitation régnait dans la ville
des Phéaciens. Tous se rassemblèrent sur la place du
palais pour voir l'invité et lui présenter leurs respects.
Afin qu'il puisse inspirer respect à chacun, Athéna le
fit paraître encore plus beau, plus grand et plus noble.
Tous le regardèrent avec admiration.

Le roi Alcinoos s'adressa à la foule.

– Mes princes, mes chefs des Phéaciens, braves
gens, écoutez-moi! Qu'il ne soit pas dit que nous
n'aidons pas ceux qui viennent nous demander

de l'aide. Par conséquent, j'ordonne que cinquante-deux jeunes hommes partent et préparent
un vaisseau immédiatement, et qu'ils se tiennent
prêts à partir. Que les princes et les chefs me
suivent au palais!

Alors, pendant que cinquante-deux marins,
choisis parmi les plus vaillants et les plus dignes,
couraient au port préparer un vaisseau rapide
avec une proue pointue, un autre banquet s'an-
nonçait au palais.

Lorsque Démodocos, l'aède aveugle, chante les ballades de la guerre de Troie, Ulysse ne peut réprimer ses larmes.

CHANT VIII

Démodocos, l'aède aveugle, grattant sur sa lyre pour divertir les invités, choisit la ballade de la guerre de Troie et se mit à chanter doucement. Il parlait des princes grecs, d'Agamemnon et de Ménélas, d'Achille et... d'Ulysse. Entendant son nom parmi ceux des héros qui, pendant dix années, avaient partagé avec lui les combats et les dangers, Ulysse fut incapable de réprimer ses larmes et se couvrit le visage de son manteau pourpre.

Il réussit à cacher son émotion à tous, sauf à Alcinoos qui était assis à ses côtés. Ce dernier se leva alors et dit:

– Tu peux cesser ta belle ballade, Démodocos. Allons dans la plaine au bord de la mer et montrons à notre hôte notre habileté aux jeux, à la course à pied, au pugilat, au saut et au lancer du disque.

Le roi prit les devants et tous suivirent. Les compétitions commencèrent et les jeunes mesurèrent leur habileté entre eux — courant, sautant et luttant. Laodamas, le fils d'Alcinoos, dit alors:

– Demandons à notre hôte s'il aimerait prendre part au concours! Il semble fort et en bonne santé!

– Pourquoi me revendiques-tu cela, Laodamas? demanda Ulysse. Veux-tu m'humilier?

Alors Euryale, jeune et de forte carrure, intervint:

– Notre hôte a raison. Ne peux-tu voir qu'il n'a rien d'un athlète?

Ulysse se tourna vers lui en fronçant les sourcils.

– C'était là, mon ami, un commentaire bien désagréable, répliqua-t-il. Cela montre que nous n'avons pas tous la chance de combiner belle apparence et intelligence. Un homme ayant moins belle apparence peut être doté d'une grande intelligence, tout comme un autre paraissant très bien peut avoir un esprit faible comme le tien, peut-être. Tu as dit que je n'étais pas un athlète. C'est vrai, mais je l'ai été. Et je n'étais pas parmi les moindres. Voyons ce que je peux encore faire!

Et il ramassa un disque de pierre qui était utilisé pendant les compétitions, le plus gros et le plus lourd. D'un seul élan, il le lança avec tant de force et de puissance qu'il vola en sifflant au-dessus des Phéaciens, surpris, et tomba à l'extrémité de la plaine. Après une minute de silence ébahi, une voix cria :

– Aucun de nous, Phéaciens, n'a jamais envoyé un disque aussi loin !

Ulysse déclara alors, avec colère :

– Je suis là ! Prêt à accepter n'importe quel autre défi : course, saut, pugilat, tir à l'arc. Parce que, poursuivit-il alors que chacun se rassemblait avec empressement autour de lui, je peux battre n'importe quel guerrier au combat, même si ses compagnons s'attroupent autour de lui pour le protéger. Philoctète était le seul à me battre au tir à l'arc sous les murs de Troie. Le seul !

Tous retinrent leur souffle. Alors Alcinoos s'avança et dit :

– Étranger, ne soit pas offensé par les paroles d'Euryale. Il est jeune et n'a aucune expérience, et il ne savait pas qu'il s'adressait à un héros. Car nous savons tous, maintenant, que tu es un héros, même si nous ne connaissons pas ton nom et, c'est en tant que héros que nous voulons t'honorer. Regarde le concours qui est sur le point de

Ulysse accepte le défi d'Euryale.

se dérouler et, lorsque nous rentrerons au palais pour le festin, tu nous diras qui tu es. Souviens-toi, cependant, que le vaisseau qui doit te ramener dans ta terre natale est prêt.

Le visage d'Ulysse s'éclaira. La colère qui, pendant un instant, avait rempli son cœur et obscurci son jugement, avait disparu. Souriant, il se tourna vers Euryale :

– Sois brave, mon ami, lui dit-il. Montre-moi ce que tu peux faire !

– Je le ferai, étranger, répliqua le jeune homme. Mais avant, accepte que je t'offre ce cadeau comme gage de notre réconciliation.

Il tendit à Ulysse une épée incrustée d'argent avec un étui d'ivoire. Ulysse le remercia. Puis, assis aux côtés d'Alcinoos, il regarda le concours entre les jeunes Phéaciens.

À la tombée de la nuit, Alcinoos et sa cour rentrèrent au palais pour le festin. Là, Ulysse rencontra de nouveau Nausicaa. Tout laissait croire qu'elle l'attendait.

– Sois heureux, étranger, lui dit-elle. Et, quand tu seras arrivé dans ta terre natale, surtout ne m'oublie pas.

– Lorsque je serai rentré dans mon pays, Nausicaa, il ne se passera pas un jour sans que je ne me rappelle toute la gratitude que je te dois.

Le nouveau banquet commença et l'aède aveugle, Démodocos, chanta de nouveau des ballades sur la guerre de Troie. Une fois de plus, en entendant ces chants, Ulysse ne put réprimer ses larmes et Alcinoos, déposant sa coupe, lui demanda :

– Étranger, dis-moi pourquoi tu pleures ? Un de tes frères ou un de tes amis serait-il mort sous les murs de Troie ?

Dans le grand silence qui s'était installé dans l'assemblée, Ulysse répondit :

– Alcinoos, gloire de ton peuple, je vais te dire pourquoi je pleure. Et je vais te raconter les aventures étranges que j'ai traversées. Je te dirai aussi qui je suis, car il est juste que tu le saches. Oui, poursuivit-il, j'ai perdu beaucoup de grands amis sous les murs de Troie et c'est pour cela que je pleure quand j'entends leurs exploits. Je me suis battu à leurs côtés. En fait, je suis Ulysse.

Alcinoos invite Ulysse à leur raconter ses aventures.

Un murmure d'admiration s'éleva parmi les invités lorsqu'ils entendirent ces mots. Et Ulysse poursuivit :

– Je demeure sur l'île d'Ithaque qui, à mes yeux, est la plus belle terre sur laquelle le soleil brille. Depuis la fin de la guerre de Troie, j'essaie d'y retourner. Tu vois, Alcinoos, lorsque la merveilleuse ville de Troie fut assiégée et incendiée, et qu'Hélène fut finalement libérée et la guerre, terminée, nous nous sommes embarqués, nous, les Grecs, pour notre voyage de retour. Je rentrais avec ma flotte de guerriers à Ithaque. Sur notre route, nous avons attaqué Ismaros, ville des Cicones, et l'avons pillée pour avoir des provisions de nourriture fraîche. Mais au lieu d'obéir à mes ordres qui étaient de retourner immédiatement au vaisseau, mes hommes restèrent en ville et se saoûlèrent. Quand les Cicones ont riposté à l'attaque, plusieurs de mes hommes furent tués. Avec beaucoup de difficulté, nous avons regagné les vaisseaux et avons fui. Une terrible tempête a, par la suite, dispersé notre flotte. Nous avons dû baisser les voiles pour ne pas que le vent les déchire. Après trois jours, le beau temps est revenu et le soleil a de nouveau brillé. Mais nous étions repoussés par les vents contraires. Au moment de passer le cap Malée, nous fûmes incapables de naviguer contre les courants qui, pendant neuf jours, nous transportèrent de plus en plus à l'ouest. Le dixième jour, nous vîmes enfin la terre. Une ville était en vue, vers laquelle j'ai envoyé trois messagers pour dire que nous venions en paix. Hélas, c'était la ville des Lotophages dont les habitants ne mangent pas de viande, mais seulement le fruit de la plante de lotus. Mes hommes qui mangèrent ce fruit perdirent l'esprit, oublièrent qui nous étions et, par le fait même, leur pays. Nous dûmes utiliser la force et les ligoter comme des ennemis pour les ramener aux vaisseaux et de nouveau, nous avons fui.

CHANT IX

– Encore bouleversés, nous sommes arrivés sur la terre des Cyclopes qui vivaient dans des cavernes profondes ou au faîte des montagnes. Après avoir amarré nos douze vaisseaux dans la baie d'une île située en face, je suis descendu chasser avec mes hommes. Le lendemain, laissant une partie de ma flotte, je dirigeai mon vaisseau vers la terre des Cyclopes parce que j'étais curieux d'en savoir plus à leur sujet. De la mer, nous avons aperçu l'ouverture d'une immense caverne et un enclos pour animaux, tout près. Emportant avec nous des cadeaux pour les Cyclopes et une urne remplie de vin, nous avons accosté sur la rive sauvage et très belle. Personne n'était en vue. Nous sommes entrés dans la caverne déserte. Empilés sur des claies, il y avaient des fromages de chèvre qui venaient juste d'être faits, et mes compagnons se servirent généreusement. Puis ils me dirent: «Partons maintenant, Ulysse. Retournons au vaisseau!»

– Ah, si seulement je les avais écoutés. «Non, leur ai-je répondu, restons. Je veux savoir qui vit dans cette caverne.» Nous sommes donc restés, nous avons mangé et, alors que nous étions bien repus, nous avons entendu un grand craquement. Le Cyclope était revenu et venait de laisser tomber un gros chargement de bûches sèches. Après avoir rassemblé son troupeau de moutons et de chèvres dans la caverne, il en ferma l'entrée avec une énorme pierre et se mit à traire ses chèvres. C'était un géant poilu qui avait un œil brillant et diabolique en plein milieu du front, juste au-dessus du nez. Imagine notre terreur quand il l'a soudain fixé sur nous.

– «Qui êtes-vous, étrangers?» nous a-t-il demandé en nous voyant. Je m'avançai et lui répondit: «Nous sommes Grecs. Nous sommes arrivés ici par hasard et nous te demandons l'hospitalité!»

– À notre grande horreur, pour toute réponse, le Cyclope tendit sa main, saisit deux de mes hommes, les écrasa contre le sol et les mangea! Je pensai l'attaquer avec mon épée, mais ne le fis pas, sachant à quel point ç'eût été inutile. Mon épée n'aurait rien pu faire contre un tel géant! Terrifiés, nous nous blottîmes tous dans un coin et y passâmes la nuit, pendant que le Cyclope, rassasié, ronflait.

Ulysse tend à Polyphème une urne de vin, pour le saoûler.

– À l'aurore, il s'éveilla, étendit la main encore une fois et, saisissant deux autres de mes hommes, les tua et les mangea. La même chose se produisit de nouveau le soir, lorsqu'il rentra dans sa caverne dont il avait bouché l'entrée de l'extérieur pendant le jour.

– Alors, je m'avançai avec l'urne de vin et lui dis: «Maintenant que tu as mangé, tu dois boire, Cyclope!» Le Cyclope prit l'urne dans sa main gigantesque et but une grande gorgée de vin. «Ce vin est bon, étranger, dit-il, satisfait. Donne-m'en encore!» Ce que je fis, et il en but trois grandes rasades.

– N'étant pas habitué à un vin si fort, il fut vite saoûl et sa tête commença à dodeliner. «Dis-moi comment tu t'appelles, grogna-t-il, afin que je puisse te récompenser.»

– «Comment je m'appelle? répondis-je. Oui, je vais te le dire. Je m'appelle Personne. Et maintenant, dis-moi quel est ton présent?» Le Cyclope bâilla, s'étendit sur le sol et, en ricanant, me dit: «Je te mangerai en dernier. Ce sera mon cadeau!»

– Saoûl comme il l'était, il succomba immédiatement au sommeil. Je me tournai alors vers mes amis et leur dit: «Vite, nous devons nous sauver! Nous ne pouvons pas sortir d'ici, car nous ne serons jamais capables de bouger l'énorme pierre qui bloque l'entrée. Saisissez ce pieu et aiguisez-le avec vos épées pendant que je vais attiser le feu!»

– Sans poser de questions, mes hommes m'obéirent et en peu de temps, nous eûmes un long pieu qui ressemblait à une lance géante. J'avais continué à alimenter le feu avec des bûches et il brûlait maintenant comme un brasier. Dans les flammes ardentes, je fis chauffer la pointe du pieu jusqu'à ce qu'elle soit bien rouge et fumante. Puis je dis: «Venez avec moi. Vengeons nos amis qui ont été tués et mangés, et échappons-nous!»

– Et nous enfonçâmes le pieu chauffé au rouge dans l'œil fermé du cyclope. Il poussa un hurlement affreux, se leva en tenant son œil ensanglanté et retira le pieu tandis que nous nous sauvions dans un coin de la caverne. Il chancela, hurlant et grognant, puis il se mit à crier: «Frères! Frères! À l'aide! Ils m'assassinent! À l'aide!...» Il arpenta la caverne, aveugle, fou furieux de douleur et de rage. Peu après, des voix se firent entendre de l'extérieur. Les autres Cyclopes avaient accouru et demandaient: «Polyphème — car c'était le nom du Cyclope — pourquoi cries-tu ainsi? Que t'est-il arrivé?»

– «Personne me tue!» répondit le cyclope. Ses frères lui dirent alors: «Si personne ne te fait mal, tu dois être saoûl et rêver, Polyphème! Demande à ton père, Poséidon, de t'aider!» Et ils s'en allèrent.

– Polyphème les appela désespérément pendant un long moment, se plaignant que Personne l'avait aveuglé. Les animaux terrifiés bêlaient sans

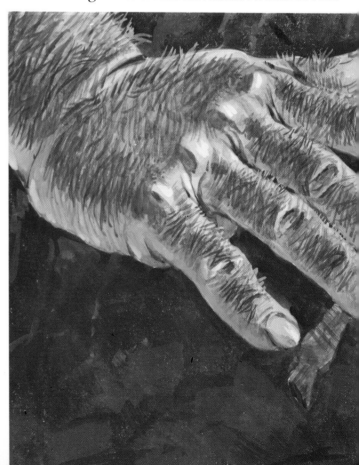

Ulysse et ses compagnons s'échappent de la caverne de Polyphème en s'agrippant sous le ventre des moutons.

106

s'arrêter et la caverne entière résonnait de divers cris sauvages. Finalement, l'horrible nuit passa. Mais à l'aurore, Polyphème se dressa devant l'entrée, après avoir repoussé l'énorme pierre, et plaça ses doigts comme s'il s'agissait d'une clôture pour nous empêcher de sortir avec les animaux. Que pouvions-nous faire? Comment allions-nous nous enfuir? Soudain, j'eus une idée. Avec des cordes, nous attachèrent les moutons par trois, et chaque homme s'agrippa à la toison d'un mouton, sous son ventre. Je m'agrippai à la toison d'un bélier, et nous nous dirigeâmes ainsi vers la sortie. Le géant passa sa main sur la toison de chaque bête, mais pas sous le ventre, et tous mes compagnons purent sortir de la caverne...

– J'étais le dernier. Et Polyphème, tâtant le dos du bélier sous lequel je m'agrippais, marmonna: «Ah, mon bélier, comment se fait-il que tu sois le dernier, ce matin, alors que tu es toujours le premier à sortir? Es-tu triste parce que ton maître a perdu son œil? Mais j'attraperai Personne et, lorsqu'il sera entre mes mains, j'assouvirai une terrible vengeance sur lui!»

– En disant cela, il poussa le bélier en dehors de la caverne et je fus libre. Nous lâchâmes les moutons et courûmes au vaisseau, en les chargeant de moutons et, tandis que mes compagnons versaient des larmes sur la perte de nos amis, je leur criai:

– «Ne pleurez pas, mais pensez à votre survie! À vos rames, que l'on parte d'ici au plus vite!» Peu après, alors que nous étions suffisamment loin du rivage, je criai: «Polyphème, tu as tué d'innocentes personnes et tu as reçu la punition que tu méritais pour tes actes!» En guise de réponse, le Cyclope enragé projeta une grosse pierre dans la mer, créant d'immenses vagues. «Si l'on te demande qui t'a rendu aveugle, ajouté-je, tu pourras répondre que c'est Ulysse, le fils de Laerte!»

– Et nous partîmes tandis que Polyphème continuait de lancer d'énormes pierres dans notre direction, essayant de faire chavirer nos vaisseaux ou de les couler. Mais le vent gonfla nos voiles et nous nous éloignâmes rapidement. À la fin, Polyphème cessa de jeter des pierres et s'agenouilla sur la plage. Levant ses mains au ciel, il tonna: «Poséidon, mon père, écoute-moi! Regarde ce qu'Ulysse, le fils de Laerte, m'a fait! Si tu m'aimes, punis-le en l'empêchant de rentrer chez lui. Et s'il est écrit qu'il doit rentrer, fais-le souffrir sur la mer; fais-lui perdre tous ses compagnons et, lorsque finalement il rentrera chez lui, qu'il n'y trouve que du malheur!»

– Nous naviguâmes toute la journée, faisant rôtir des moutons, mangeant et buvant de bon appétit. Mais en dépit de tout, nos cœurs étaient lourds lorsque nous pensions à nos amis qui avaient eu une mort si brutale.

CHANT X

– Nous naviguâmes pendant plusieurs jours avant d'atteindre l'île d'Éole, le foyer d'Éole, le Gardien des vents, qui vivait dans un immense palais avec ses six fils et ses six filles, et où de plantureux banquets se tenaient chaque jour. Il fut très généreux à notre égard et nous accorda sa royale hospitalité. Il était avide de nouvelles sur la guerre de Troie et lorsque, après un mois, je lui demandai la permission de partir, il me dit: «Tu peux partir, Ulysse, et puisque tu es mon ami, je t'offre cette outre faite de cuir. Tous les vents de la tempête y sont enchaînés. Je te préviens de ne pas l'ouvrir sinon tu attireras le malheur. Je n'ai laissé qu'un seul vent libre, Zéphyr, dont le souffle est favorable et qui t'accompagnera jusqu'à Ithaque. Adieu!»

– Et nous partîmes avec Zéphyr qui nous poussait vers notre terre natale. Je tenais la bouline, ayant placé l'outre qui contenait tous les vents de tempête bien fermée devant moi. J'étais en paix. Bien vite, la forme d'Ithaque, ma terre bien-aimée, se dessina à l'horizon. Je pouvais voir ses feux briller dans la nuit. Le voyage allait se terminer. Mais, n'étant qu'un simple mortel, je sentis la fatigue m'envahir; mes yeux se fermèrent et je sombrai dans un doux sommeil. Ce qui habituellement est une bénédiction se transforma cette fois-ci en un souffle cruel.

– Pendant que je dormais, un de mes marins dit à ses compagnons: «Qui sait, Éole a peut-être donné des trésors à Ulysse! Réfléchissez un peu! Après des années de guerre, nous, pauvres diables, rentrons chez nous les mains vides, tandis qu'Ulysse rapporte cette outre qui est probablement remplie d'or! Venez, ouvrons-la et partageons le butin!»

– Alors les misérables hommes ouvrirent l'outre. Au même instant, les vents de la tempête, furieux, sortirent en hurlant et en sifflant. Ils tournoyèrent autour des vaisseaux et la mer, soudain, s'enfla de sombres vagues qui nous repoussèrent au large avec fougue, déchirant les voiles.

– Nous ne pouvions même pas gouverner les vaisseaux — nous étions traînés au loin et, après je ne sais combien de jours de tempête, la terre fut en vue et nous ne savions même pas où nous étions. Nous dérivâmes dans un port naturel, hermétiquement entouré de rochers en surplomb et à l'abri des mers déchaînées. C'était un bon endroit, mais où étions-nous? J'envoyai quelques hommes explorer la région. À notre grand malheur, nous découvrîmes que nous étions sur la terre des Lestrygons, les êtres les plus cruels et les plus belliqueux que j'aie jamais rencontrés.

– Ils montrèrent immédiatement leur férocité. Lorsque les hommes que j'avais envoyés en éclaireurs arrivèrent à leur village, ils furent assaillis, capturés et l'un d'eux fut tué et mangé. C'étaient des cannibales... Les autres s'enfuirent et, devenus fous, retournèrent aux vaisseaux, terrorisés. Je donnai l'ordre de hisser immédiatement les voiles et de ramer de toutes nos forces pour nous éloigner de l'île le plus vite possible. Mais, comme je l'ai déjà dit, la flotte s'était réfugiée dans une crique naturelle avec des rochers en surplomb. Et, du haut de ces rochers, les Lestrygons commencèrent à nous bombarder. Une terrible pluie de pierres s'abattit sur les vaisseaux, renversa les hommes et brisa les mâts. Quelques-uns de mes compagnons sautèrent dans la mer, essayant de se sauver en nageant vers la rive. Ils furent capturés et massacrés. Alors que ma flotte était détruite, je parvins à m'échapper avec beaucoup de difficulté.

Le vaisseau d'Ulysse navigue de l'île d'Éole vers Ithaque.

– De mes douze vaisseaux, il n'en restait qu'un seul! Les onze autres étaient perdus, ainsi que leurs équipages. Qu'allais-je faire? Quoi, en fait? Anéantis comme nous l'étions, nous reprîmes de nouveau la mer. Nous nous abandonnâmes aux vents, qui, après plusieurs jours, nous poussèrent vers l'île d'Aiaié. Là, comme si nous étions guidés par un dieu, nous entrâmes dans une baie calme et y passâmes une nuit tranquille.

– À l'aurore, je pris ma lance et mon épée et allai explorer la région moi-même. Je grimpai sur les rochers et marchai à travers bois. Au loin, j'aperçus un mince filet de fumée qui s'élevait d'une maison cachée dans l'épaisseur des bois. Je pensai revenir plus tard pour voir qui y demeurait et, en attendant, je retournai au vaisseau en tuant, sur le chemin du retour, un grand cerf que nous fîmes rôtir et mangeâmes avec appétit.

Circé transforme les compagnons d'Ulysse en porcs.

– «Mes amis, dis-je, alors que nous mangions, j'ai aperçu une maison dans la forêt. Nous y irons, mais nous devons être prudents. Nous nous diviserons en deux groupes. Je guiderai l'un d'eux et Eurylochos s'occupera de l'autre. L'un des groupes ira à la maison tandis que l'autre demeurera ici. Nous tirerons au sort pour savoir quel groupe partira.» Le sort tomba sur Eurylochos. Il partit donc avec ses hommes... et revint seul, beaucoup plus tard, en courant, malade de terreur et incapable de parler.

– Tremblant de peur, il put tout juste me dire ce qui s'était passé. Dans la maison, ils avaient rencontré une belle déesse magicienne qui se nommait Circé et qui leur avait offert un repas copieux. Tous avaient mangé sauf lui, Eurylochos, qui se sentait inquiet. En fait, ses compagnons venaient à peine de terminer leur repas que Circé les avait touchés l'un après l'autre de sa baguette magique et transformés tous en porcs. «En porcs, Ulysse! ne cessait-il de répéter en sanglotant. Ils ne sont plus des hommes, comprends-tu? Ce sont des animaux! Circé est une sorcière! Fuyons pendant qu'il est encore temps!»

– «Mais non! lui dis-je. Nous ne pouvons pas abandonner nos compagnons. Attends-moi ici!» Alors, vêtu et armé comme pour le combat, je partis vers la maison de la déesse magicienne. Sur mon chemin, je rencontrai un beau jeune homme que je reconnus comme étant Hermès, un dieu qui m'avait toujours favorisé. Il me dit: «Fais attention, Ulysse! Tu pars délivrer tes compagnons d'un envoûtement, mais ce sort peut aussi t'être jeté. Dès que Circé t'offrira quelque chose à boire, dégaine ton épée et menace-la de mort. Ce sera la seule façon de te sauver!»

Ulysse et ses amis sont les invités de Circé pendant une année.

– Sur ces mots, Hermès s'évanouit et j'atteignis la demeure de Circé. Je fus accueilli par des lions et des loups doux comme des agneaux, qui étaient, en fait, des mortels transformés en bêtes sauvages par la déesse magicienne. Je passai auprès d'eux sans qu'il ne me soit fait aucun mal, et j'entrai dans la maison.

– Circé vint à ma rencontre. Elle était d'une beauté extraordinaire et, avec un sourire, elle me dit: «Qui que tu sois, étranger, sois le bienvenu ici!» Et, demandant à une servante de m'apporter du vin, elle poursuivit: «Bois ceci et rafraîchis-toi.» Je pris la coupe qu'elle me tendait, mais, au lieu de la porter à mes lèvres, je versai le liquide sur le sol et dégainai mon épée, tenant Circé par le bras et la menaçant de mort. Blanche comme un drap, elle s'écria: «Ah, mais qui es-tu? Pourquoi n'as-tu rien bu? Pourquoi ne t'es-tu pas transformé en porc? Pourquoi as-tu résisté au sort que je t'ai jeté? Serais-tu Ulysse? Je savais qu'Ulysse devait venir…»

«Oui, Circé, je suis Ulysse, répondis-je, et si tu veux sauver ta vie, rends-moi mes compagnons!»

«Je veux être ton amie, Ulysse!»

«Tu le veux vraiment, Circé? Alors, rends-moi mes compagnons!»

«Je te les rendrai, car je ne veux pas aller à l'encontre de la volonté des dieux!»

– Elle alla dans la porcherie et, levant sa baguette, ordonna aux porcs de redevenir des hommes. Et là, sous mes yeux, réapparurent tous mes compagnons. Ils me virent et m'embrassèrent avec une profonde gratitude. Circé prépara un grand banquet en notre honneur et nous en avons tous profité sans peur d'être de nouveau ensorcelés.

– Nous fûmes les invités de Circé pendant environ une année. Finalement, nous décidâmes de partir et, lorsque la belle déesse entendit parler de notre décision, elle dit: «Va, Ulysse, parce qu'il doit en être ainsi. Mais prends garde. Avant de poser les pieds sur la terre d'Ithaque, tu devras attendre très longtemps. Viens, je vais te révéler quelques-unes des choses qui t'arriveront pendant ton voyage, car je peux prédire l'avenir…»

– Elle me raconta plusieurs choses qui se sont vraiment réalisées et dont je vous parlerai plus tard. Des choses qui m'effrayèrent tellement que je me suis exclamé: «Qu'adviendra-t-il de moi, Circé! Je crains déjà l'avenir! Quelle vie, quelle mort vais-je affronter?»

– «Je ne peux répondre à cela. Tu iras à Hadès, au Royaume de la mort, et tu interrogeras le prophète Tirésias. C'est lui qui te révélera ces faits.»

«Comment arriverai-je au Royaume de la mort?»

«Conduis ton vaisseau au bout de l'océan, là où le fleuve Archéron se jette dans la mer. Tu reconnaîtras la plage, car elle est dominée par une très haute falaise. Lorsque tu y seras, creuse un trou et offre des sacrifices aux dieux. Lorsque tu auras terminé, retourne-toi vers le fleuve et tu verras les âmes des défunts.»

– Ainsi parla la très belle Circé et, avec mes compagnons, nous nous préparâmes pour un nouveau voyage vers l'inconnu.

CHANT XI

– Nous allâmes donc au vaisseau, prenant avec nous, en plus des provisions, un bélier et une brebis noire pour offrir en sacrifices sur la plage de Hadès. Grâce à un gentil sort jeté par Circé, une brise favorable nous accompagna toute la journée.

– Nous atteignîmes enfin la fin de l'océan et vîmes le pays des Cimmériens, enveloppé dans un perpétuel brouillard noir, si bien que la nuit semblait durer l'éternité. C'était l'endroit que nous cherchions. Nous ammarâmes notre vaisseau et mîmes pied à terre, amenant avec nous les deux animaux. Nous frayant un chemin le long des eaux calmes de l'océan, nous arrivâmes à l'endroit que nous avait décrit Circé. Pendant que Périmède et Eurylochos tenaient les victimes, je tirai mon épée et creusai un trou d'une coudée de long et de profond. Je versai des libations pour les morts, une première de lait mêlé de miel, une deuxième de vin doux et une troisième d'eau. Je répandis sur la terre de la farine blanche et promis d'offrir d'autres sacrifices encore plus riches dès que je serais rentré à Ithaque, ma terre natale. J'immolai les deux animaux, leur tranchant la gorge de sorte que leur sang chaud et noir coule dans la fosse. Quelques instants plus tard, sous mes yeux remplis de stupeur, les âmes des morts se rassemblaient autour de moi, gémissant sans cesse. Je fus rempli d'horreur et, tout à fait inconsciemment, je tirai mon épée et les menaçai comme si j'avais pu les blesser!

– Ils reculèrent néanmoins, et je cherchai Tirésias parmi eux, car je devais le questionner seul. Tout d'abord, j'étais incapable de le voir, puis je le remarquai. Il était là, tenant un sceptre d'or. Lorsque je le saluai, il me dit: «Divin Ulysse, pourquoi as-tu abandonné la lumière du soleil pour ce triste endroit? Éloigne-toi de cette fosse et range ton épée. Je dois boire le sang des victimes; ensuite, je te parlerai.»

– Je me reculai pour le laisser boire et, ensuite, il me dit:

«Valeureux Ulysse, tu cherches le chemin qui mène chez toi, mais un dieu te rendra la tâche très difficile. Tu n'échapperas pas à la persécution de Poséidon, car tu as ôté la vue à son fils préféré. Néanmoins, si tu agis avec prudence, tu réussiras. Ce qui importe maintenant, c'est de ne pas blesser le bétail du dieu Soleil. Tu trouveras ses vaches en train de paître dans les champs verts de Thrinacie. Prends garde! Si tu les blesses, il n'y aura aucune pitié, ni pour toi, ni pour ton vaisseau. Toi, Ulysse, poursuivit-il, tu ne mourras pas. Tu atteindras ta terre natale, mais tu trouveras ton palais envahi par des étrangers qui courtisent ta femme et dilapident tes biens. Ces nobles arrogants seront pressés de prendre ta place. Tu vivras très vieux et mourra sur la mer. C'est tout ce que je peux te dire!»

Quand il atteint l'endroit décrit par Circé, Ulysse creuse une fosse avec son épée et commence les sacrifices.

«Toutes ces choses, Tirésias, ont été décidées par les dieux, et nous ne pouvons pas nous y opposer. Mais, dis-moi, parmi les âmes, je peux voir le fantôme de ma mère. Comment me reconnaîtra-t-elle?»

«N'importe quel fantôme à qui tu donneras du sang à boire te parlera d'une façon sensée, répondit Tirésias en s'éloignant. Ceux que tu rejettes s'éloigneront. Adieu, Ulysse!» Alors, le cœur lourd de chagrin, j'attendis que l'âme de ma mère vienne boire le sang noir.

– Immédiatement après en avoir bu, elle me reconnut et, s'approchant de moi, elle dit en gémissant: «Mon fils, comment es-tu venu ici?... Tu es vivant!... Pourquoi n'es-tu pas à Ithaque?»

«Mère, lui dis-je, vaincu par l'émotion, je ne suis pas encore retourné à Ithaque et je suis ici parce que je devais parler à Tirésias afin d'apprendre sur mon destin. Mais toi, mère, comment es-tu décédée? Soudainement, ou après une longue maladie? C'est peut-être la peine causée par ma longue absence qui t'a conduite ici?... Peux-tu me parler de mon père, ou de mon cher fils que j'ai laissé derrière moi alors qu'il n'était qu'un enfant? Et peux-tu me parler de ma femme, Pénélope, et de ses sentiments? M'a-t-elle été fidèle ou s'est-elle remariée?»

«Oh, non! Pénélope t'est restée fidèle et elle passe ses jours et ses nuits à pleurer. Ton fils vit comme un jeune prince devrait vivre et personne, jusqu'à maintenant, ne lui a rien pris. Ton père, cependant, vit à la campagne comme un misérable paysan et se ronge les sangs en pensant à toi, toujours absent! Et en ce qui me concerne... ô mon fils, je suis morte de chagrin parce que tu n'es pas revenu.»

– J'ai voulu l'enlacer, mais, par trois fois, j'ai ouvert les bras et les ai refermés sur rien d'autre que de l'air. «Hélas, mère, lui ai-je dit, pourquoi m'évites-tu quand je veux te serrer dans mes bras?»

«Je ne t'évite pas, me répondit-elle, il ne reste plus que mon âme, mon fantôme, que tu ne peux ni toucher, ni sentir!»

– Pendant que nous parlions, d'autres fantômes s'approchèrent de la fosse et voulurent boire du sang des victimes. Tirant mon épée, je les menaçai, leur permettant de boire un à un seulement. La plupart étaient des femmes et elles me racontèrent leurs histoires...

À ce moment du récit, Alcinoos interrompit Ulysse et lui demanda:

– Dis-moi, divin héros, pendant que tu étais là-bas, dans le triste Royaume de la mort, n'as-tu pas vu de tes camarades qui sont tombés sous les murs de Troie?

– Oui, répondit Ulysse. J'en ai vu, en effet.

Puis Ulysse poursuivit son histoire.

– Soudain, pendant que les femmes disparaissaient, l'âme d'Agamemnon s'est approchée. Il était le commandant suprême de toutes les troupes grecques au siège de Troie. Il but du sang,

me reconnut et me tendit les bras pour me serrer contre lui. Mais il n'y avait plus aucune vigueur dans ses membres. Ému et versant des larmes, je lui demandai: «Agamemnon, illustre roi, comment es-tu venu ici? Es-tu mort en mer? Es-tu tombé entre les mains de tribus sauvages en posant les pieds sur leur terre lors de ton retour de Troie?» «Non, Ulysse! me répondit Agamemnon, blême et rempli de tristesse. J'ai été assassiné dans ma propre maison! C'est ma femme qui m'a tué! C'est ainsi qu'elle m'a accueilli après dix ans d'absence!»

– D'autres âmes approchaient. Puis vinrent celles du grand Achille, de son cher Patrocle et d'Ajax, le héros qui n'avait peur de rien pendant le combat. Achille me reconnut et me demanda: «Ah, Ulysse! Ô toi, pauvre homme! De quelle ruse as-tu usé pour arriver ici, dans ce triste endroit?»

«Achille, le plus fort des guerriers grecs, je suis venu poser quelques questions à Tirésias. Je vois que tout comme tu as dominé tout le monde pendant ta vie, tu fais de même dans la mort! Tu es le roi ici!»

«Non, répondit-il tristement, non. Je préférerais de beaucoup servir un maître, être un pauvre hère et être vivant qu'être le roi de tous ces morts. Mais parlons de mon fils, Néoptolème. Comment va-t-il? Se comporte-t-il comme il le devrait?» Je lui racontai que son fils s'était distingué en combattant devant tous pendant le siège de Troie, et que, bien qu'il ait toujours été le premier sur la ligne de front, il n'avait jamais été blessé. Achille sourit et montra sa satisfaction. Ensuite, il partit à grands pas.

Je vis les autres fantômes, et tous me parlèrent, sauf Ajax, fils de Télamon, que j'avais profondément contrarié parce qu'on m'avait donné les armes d'Achille plutôt qu'à lui. Le voyant se tenir à l'écart et regarder de l'autre côté, je lui dis: «Ajax, même dans la mort, m'en veux-tu toujours?» Il ne me répondit pas et s'éloigna sans un regard. De loin, j'entendis sa voix pleine de colère.

J'ai aussi vu Minos, le fils de Zeus et le roi de la mort. J'ai vu le géant Orion, transportant une énorme massue avec laquelle il chassait les bêtes sauvages. J'ai vu Tantale debout dans un bassin d'eau fraîche qui s'évanouissait chaque fois qu'il essayait d'en boire. Au-dessus de sa tête pendaient des fruits juteux, mais dès qu'il essayait d'en prendre un, le vent les soulevait bien haut dans le ciel. J'ai vu Sisyphe, qui poussait une lourde pierre vers le sommet d'une colline et, chaque fois qu'il allait atteindre le sommet, la pierre lui échappait des mains et roulait vers la plaine. Une fois de plus, il devait la pousser vers le sommet...

Je vis bien d'autres âmes, mais l'horreur m'envahit à la vue de tous ces fantômes qui hurlaient et je courus sur mon vaisseau.

Ulysse s'approche du fantôme de sa mère au Royaume de la mort.

Ulysse entend le chant des sirènes.

CHANT XII

– Et nous reprîmes la mer. Tandis que le vaisseau avançait péniblement sur la mer bleue, je me souvins que Circé m'avait dit que nous rencontrerions un rocher habité par les sirènes.

«Le chant des sirènes, avait-elle dit, ensorcelle tout homme qui l'entend et lui fait tout oublier, même ce qui lui est cher. N'oublie pas, leurs chansons sont la plus douce musique qui soit, mais si tu les écoutes, tu seras entraîné dans la mort! Quand tu navigueras près des rochers, dis à tes compagnons de se boucher les oreilles avec de la cire d'abeille. Et si tu veux écouter la musique, demande-leur de t'attacher au mât du vaisseau.»

– C'est ce que nous fîmes lorsque nous vîmes les deux rochers à l'horizon. Attaché au mât, j'ai entendu les plus douces chansons des sirènes qui m'appelaient et m'invitaient à me joindre à elles et tel était mon désir, si bien que je me suis écrié avec frénésie: «Détachez-moi! Détachez-moi!» Mais, incapables de m'entendre, ni d'entendre les sirènes à cause de la cire d'abeille qu'ils avaient mise dans leurs oreilles, mes compagnons serrèrent davantage les cordes autour de moi. Ainsi, j'ai échappé à la magie si douce, mais mortelle des sirènes.

– Nous nous éloignâmes rapidement de ces rochers enchanteurs et dangereux, et lorsque je fus incapable d'entendre même l'écho du chant des sirènes, je fis signe à mes hommes d'enlever la cire de leurs oreilles et de défaire mes liens.

Soudain, cependant, la mer s'agita. Nous pouvions entendre un grondement s'amplifier, tandis qu'un nuage de fumée noire couvrait le ciel, obscurcissant le soleil! Terrifiés, mes hommes lâchèrent leurs rames et le vaisseau s'immobilisa. «Mes amis, dis-je, nous avons surmonté bien des dangers. Je ne sais pas ce que signifie ce bruit, mais ça ne peut être pire que le Cyclope que nous avons vaincu. Soyez braves! Retournez à vos rames, et toi, homme de barre, tiens bien le gouvernail! En avant! Nous ne craignons pas la mer!»

– Ils m'obéirent, mais je tremblai en mon cœur, car je savais que le grondement, le tumulte des eaux et la fumée indiquaient que nous approchions de l'endroit le plus dangereux des sept mers. Nous allions passer entre Charybde et Scylla!

La passe redoutable entre les cavernes de Charybde et Scylla.

– Circé m'avait prévenu au sujet de Charybde et Scylla. Nous naviguâmes près de la côte et remontâmes un canal — mes compagnons ramèrent, mais ils étaient effrayés par le grondement et le brouillard qui, de temps à autre, tombait, puis se levait de nouveau. «Tu passeras par un détroit qui est dominé par deux cavernes béantes, avait dit Circé. Dans la première, demeure la terrible Scylla qui aboie impitoyablement comme le cri perçant d'une chienne. C'est un horrible monstre à douze pieds et six cous! Dans la deuxième caverne demeure Charybde, un autre monstre marin qui engloutit l'eau trois fois par jour, puis la recrache. Ulysse, prends garde de ne pas être là quand elle boit!»

– Nous avançâmes et là apparurent, à notre gauche et à notre droite, les deux énormes bouches des cavernes. Nous regardions Charybde quand Scylla s'élança en dehors de son repaire et engloutit six de mes hommes, les plus forts et les plus habiles, et les projeta dans la mer. Je me retournai en saisissant ma lance, mais il était trop tard! Je vis des bras et des jambes parmi la houle et j'entendis les cris des pauvres diables qui m'appelaient par mon nom. Irrésistiblement, ils furent tirés dans la bouche de cette horrible caverne et disparurent.

– Nous manœuvrâmes sans d'autre dommage et, peu après, nous fûmes sur l'étendue calme de la mer. Là apparut l'île du Soleil. Du vaisseau, nous pouvions voir de grandes étendues d'herbe où des bœufs paissaient. «Mes amis, dis-je à mes compagnons, Tirésias m'a prévenu de m'éloigner de cette île, l'île du Soleil. Mieux vaut l'éviter et poursuivre notre voyage vers notre pays.»

«Nous sommes fatigués, Ulysse, répondit Eurylochos, et toi aussi tu l'es. Nous ne pouvons pas continuer ainsi. Laisse-nous descendre à terre et nous reposer un peu. Rien n'arrivera que nous ne puissions contrôler.»

– Nous descendîmes donc à terre. L'endroit était beau et, bientôt, la fatigue vint à bout de moi. «Je vous ai écouté, mes amis; allons donc nous reposer. Cependant, je vous donne un ordre — ne faites pas de mal aux bœufs sacrés du dieu du Soleil.»

«Dors, Ulysse, et fais-nous confiance!» me répondirent-ils.

Et je m'endormis.

– Pendant que je dormais, Eurylochos alla chercher les lances, les distribua aux hommes et, stupidement, tous partirent chasser. Ils tuèrent plusieurs bœufs, les plus gras. Ils les transportèrent sur la plage, les dépouillèrent de leur peau, les firent rôtir et commencèrent à fêter. J'étais endormi et je ne savais pas ce qui se passait. Mais, à peine éveillé, je sentis l'odeur de la viande rôtie et, avec une terrible crainte, je courus au vaisseau.

«Qu'avez-vous fait? criai-je. Maintenant, la vengeance de Zeus tombera sur nous!»

– Mais c'était trop tard, beaucoup trop tard! En effet, sur l'Olympe, Hypérion, le dieu du Soleil, dont les bœufs étaient sacrés, s'était tourné, furieux, vers Zeus. «Les compagnons d'Ulysse ont tué mon bétail! Je fais appel à toi pour les punir, sinon je quitterai le ciel et descendrai chez Hadès où je brillerai pour les morts!» Zeus répondit: «Je les punirai moi-même de ma foudre!»

– Et il en fut ainsi. Après quelques jours, nous quittâmes l'île et naviguions vers Ithaque, qui n'était plus très loin, quand, soudain, le ciel bleu se couvrit de nuages et s'obscurcit rapidement. Parmi les nuages, de grands éclairs zébraient le ciel et, tandis que les vagues se soulevaient violemment, la foudre frappa notre vaisseau. Il y eut une lumière aveuglante, un grand craquement, et le mât se fracassa tandis que le vaisseau tournoyait follement sur les vagues. Mes hommes terrifiés furent projetés par-dessus bord en criant et disparurent sous l'eau. Je me retrouvai moi aussi bientôt parmi les vagues. Je remarquai un morceau d'épave qui flottait et je m'y agrippai avec toute mon énergie. Les vagues et le vent me ramenaient inexorablement vers les cavernes de Charybde et Scylla. Sur le rocher qui surplombait le détroit de Charybde, je vis un figuier qui avait d'énormes racines. Avec un sursaut de désespoir, je l'agrippai et y restai accroché pendant que, par trois fois, avec un terrible grondement, le monstre engloutissait l'eau et les débris de mon vaisseau. Après la troisième fois, je m'élançai vers la mer, nageai vers un morceau d'épave, m'assis dessus et commençai à ramer avec mes mains. Pendant neuf jours, je dérivai sans but. La dixième nuit, j'atteignis l'île de la belle Calypso. Vous connaissez le reste de mon histoire.

Et ainsi se termina l'histoire d'Ulysse. Alcinoos parla alors.

– Ulysse, dit-il, tu as beaucoup souffert. Mais tes problèmes sont terminés parce que, maintenant, tu rentreras à Ithaque. Le vaisseau t'attend au port. Les membres de l'équipage sont parmi les meilleurs des Phéaciens. Alors buvons et offrons des sacrifices à Zeus. Demain soir, tu partiras!

Ulysse réussit à se cramponner à un morceau d'épave et à se sauver.

Arrivés à Ithaque, les Phéaciens transportent Ulysse, endormi, sur la rive et disposent leurs cadeaux autour de lui.

CHANT XIII

Pour Ulysse, le jour qui suivit fut très long. Aspirant au départ, il tournait souvent la tête vers le port où il pouvait voir, se balançant sur l'eau, le vaisseau qui devait le conduire à Ithaque. Les cadeaux des Phéaciens étaient déjà à bord. Alcinoos, par contre, n'était pas pressé de prendre congé de son hôte célèbre. Le banquet fut suivi de sacrifices, puis d'un autre banquet. À la fin de ce dernier, Ulysse se leva et dit :

— Alcinoos, et vous tous, mes chers amis, puissiez-vous vivre longtemps et heureux et que les dieux vous protègent, toi et ton généreux peuple. Et, ajouta-t-il, puissé-je revoir ma chère femme !

Les coupes furent remplies une dernière fois. Ulysse souhaita beaucoup de bonheur à la reine Arété et, précédé d'un héraut et suivi des esclaves qui transportaient des manteaux, des tuniques, du pain et du vin, il se rendit au vaisseau. Profondément ému, il monta à bord. Les rameurs s'installèrent à leur poste pour manœuvrer afin de sortir le vaisseau du port, alors que le soleil se couchait et que les étoiles commençaient à luire dans le ciel. Ulysse était fatigué, non d'un effort fourni, mais de tant d'émotions. Il sentit qu'il arrivait à la dernière étape de son voyage sans fin. S'étendant sur un manteau, il s'endormit.

Il était plongé dans un profond sommeil quand les Phéaciens, sortis du port, hissèrent les voiles. Il continua à dormir pendant que la proue du vaisseau fendait régulièrement les vagues. Et il dormait toujours quand, à la lumière de l'aurore, apparut la forme escarpée de l'île d'Ithaque. Là, il y avait une crique tranquille, un petit port naturel où l'eau était claire comme le cristal. Les Phéaciens y abordèrent et, sans réveiller Ulysse, le transportèrent sur la rive et l'installèrent sous un vieil olivier. Ils empilèrent leurs cadeaux autour de lui et partirent.

Ils se dirigeaient, hélas, vers un triste destin. En fait, Poséidon, qui vit ce qu'ils avaient fait, se précipita vers Zeus.

— Père de tous les dieux, s'exclama-t-il, je ne puis tolérer le fait qu'Ulysse rentre chez lui et dorme en paix parmi tant de cadeaux, porté en triomphe comme un roi. Je demande vengeance !

— Prends-la, donc ! répondit Zeus.

Alors, comme le vaisseau allait atteindre l'île des Phéaciens, une chose horrible survint. Les rameurs avaient déjà baissé les voiles et commençaient à ramer vers le port quand, soudain, le vaisseau et son équipage furent transformé en un énorme rocher noir !

117

Pendant ce temps, à Ithaque, Ulysse s'était réveillé. Autour de lui, il ne pouvait rien voir d'autre qu'un brouillard. Consterné, il dit:

– Où suis-je? Sûrement pas à Ithaque. Il n'y avait jamais de brouillard aussi dense sur mon île! Alors où est-ce? Où les Phéaciens m'ont-ils laissé? M'ont-ils trahi? Non, parce que je suis entouré de cadeaux. Alors?...

Se parlant à lui-même, le cœur lourd, il tourna en rond dans le brouillard, jusqu'à ce qu'il aperçoive un berger en plein milieu.

– Dis-moi, mon ami, lui demanda-t-il sans plus attendre, où suis-je? Quel est le nom de l'île sur laquelle nous sommes?

– C'est la terre d'Ithaque, répondit le berger.

– Ithaque... j'en ai entendu parler. Je viens de Crète. Je me suis sauvé de là parce que j'avais été accusé d'avoir assassiné un homme. Un vaisseau phéacien m'a amené ici. Pendant que je dormais, les rameurs m'ont transporté sur la rive et sont partis.

Le berger sourit et se transforma en une grande dame, très belle et majestueuse. En fait, c'était Athéna qui avait voulu le soumettre à un test.

– Ulysse, tu aurais en effet été trop astucieux si tu avais réussi à me tromper. Je suis Athéna, fille de Zeus.

– Il est difficile, déesse, de te reconnaître lorsque tu prends l'apparence d'un humble berger, lui dit Ulysse. Je te remercie, ô divine dame, et je te demande de me prouver que nous sommes vraiment à Ithaque!

– Regarde, dit Athéna.

– Le brouillard se levait et Ulysse vit sa terre bien-aimée. Il se laissa tomber à genoux sur le sol qu'il embrassa, profondément ému. Mais la déesse dit:

– Viens, viens Ulysse, ne perd plus de temps. Cache les cadeaux des Phéaciens dans une caverne, et pense à ce que tu devrais faire, car si tu allais au palais sur-le-champ, les prétendants pourraient facilement te trancher la gorge!

– Et ainsi, je connaîtrais la même fin que ce pauvre Agamemnon qui fut tué lorsqu'il est rentré chez lui! murmura Ulysse avant d'ajouter: Comment dois-je me conduire envers les prétendants? S'il te plaît, dis-le moi. Je ne crains personne si tu es près de moi.

S'étant réveillé, Ulysse demande à un berger où il est.

118

– Je ne partirai pas, surtout si tu dois prendre les armes pour te venger et rendre justice. Ne crains rien. Mais, pour l'instant, tu es seul et ils sont nombreux. Tu dois, par conséquent, agir très prudemment. Quiconque te verra te reconnaîtra.

– Que dois-je faire, alors?

– Je serai à tes côtés, Ulysse, je ne m'éloignerai pas de toi, répondit Athéna en souriant. Je vais commencer par te rendre méconnaissable pour quiconque. Je vais rider ta peau, faire tomber tes cheveux et ternir tes yeux. Tu paraîtras laid aux yeux de tous, Ulysse, même aux yeux de ta femme qui t'aime et qui n'a jamais cessé de t'aimer. Premièrement, poursuivit Athéna, va voir Eumée, le porcher qui garde tes bêtes et qui t'est demeuré fidèle. Tu le trouveras près du rocher du Corbeau, au bord de la fontaine Aréthuse.

– Eumée! Il est donc encore en vie?

– Il l'est, en effet, et il te sera d'une grande aide.

– Mais, demanda Ulysse, qu'en est-il de mon fils?

– Il est à Sparte, chez Ménélas. Il est allé là-bas dans l'espoir d'avoir de tes nouvelles.

– Si loin! Ô divine dame, il souffrira peut-être autant que moi sur la mer, lui aussi!...

– Non. Je vais le rejoindre immédiatement. Je vais lui ordonner de rentrer... En fait, ajouta Athéna, les prétendants lui ont tendu une embuscade et se préparent à attaquer son vaisseau. Mais je vais m'assurer que leur plan diabolique ne fonctionne pas. Si du sang doit être versé, ce sera le leur.

Sur ces mots, Athéna toucha Ulysse de sa baguette. Le héros se transforma, sur-le-champ, en un misérable vieillard. Sa peau se rida, ses cheveux tombèrent, ses yeux vifs se rétrécirent et se ternirent; elle jeta un haillon sordide sur ses épaules et lui donna un bâton noueux. Personne ne reconnaîtrait, sous une apparence aussi répulsive, le grand Ulysse qui était enfin de retour à Ithaque!

Athéna transforme Ulysse en misérable vieillard.

Alors, marchant avec difficulté, Ulysse avança sur les sentiers rocailleux de sa chère île, vers les forêts qui couronnaient la haute montagne. Du sommet d'une colline, il vit, parmi les chênes et les oliviers, la cabane d'Eumée et le grand enclos où il gardait les porcs. Chaque jour, en poussant un soupir de tristesse, le porcher devait choisir l'animal le plus gras et l'envoyer au palais pour le banquet des prétendants.

Eumée était assis là, le visage sombre, se fabriquant une paire de sandales de cuir. Soudain, il entendit les chiens aboyer férocement. Il leva les yeux et vit un étrange vieillard entouré des animaux qui aboyaient.

– Suffit! Suffit! cria Eumée en se levant immédiatement.

Et, alors que les chiens s'éloignaient un peu, il dit:

– Vieil homme, tu aurais pu être déchiqueté par mes chiens. Viens à l'intérieur. Viens boire une coupe de vin. Ensuite, tu pourras me dire qui tu es.

– Merci, mon ami. Les dieux aiment le mortel qui accueille les étrangers comme tu le fais. Surtout les étrangers aussi âgés que moi.

– Tu as raison. Tu parles bien. C'est un crime de rejeter un visiteur!

Eumée entassa des brindilles sur le plancher, les recouvrit d'une peau de bouquetin et dit:

– Assieds-toi ici et mets-toi à l'aise! Tu as faim, vieil homme, je peux le voir, et tu es fatigué. Nous mangerons ensemble.

– Je te remercie de m'accueillir de si bon cœur.

– Oui, vieil homme, mais il y a quelqu'un d'autre que j'aimerais aussi accueillir... dit Eumée en soupirant. S'il était revenu, je ne serais pas ici, à avoir peur!

– Peur? Tu as peur? Pourquoi?

– Parce que mon roi ne règne plus sur cette île. Ceux qui le remplacent sont une bande de jeunes hommes arrogants. Et, comme tu peux le voir, je suis obligé de travailler pour eux. Si mon roi était ici, tout serait différent... Mais il ne viendra pas. Trop de temps s'est écoulé. Il doit être mort maintenant, sur une terre lointaine ou dans un naufrage... Mais attends, je vais chercher quelque chose à manger.

Ils commencèrent à manger et Ulysse l'interrogea prudemment.

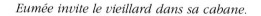

Eumée invite le vieillard dans sa cabane.

– Mon ami, tu as parlé de ton roi dont personne ne sait rien. Dis-moi son nom. J'ai tant voyagé, j'ai vu tant d'endroits, entendu tant d'histoires. Qui sait, j'ai peut-être des nouvelles pour toi.

– Tous les étrangers qui viennent à Ithaque parlent comme toi, répondit Eumée en hochant la tête. Tous croient savoir. Plusieurs vont voir ma reine, Pénélope, et elle, pauvre âme, les écoute et leurs paroles l'aident à garder espoir. Non, vieil homme, il est inutile de se décevoir. Ulysse — car tel est le nom de mon roi — doit être mort maintenant. Plus jamais, dussé-je faire le tour du monde, je ne trouverai un autre maître comme lui. Il m'aimait, tu sais! Cela peut te sembler étrange qu'un roi puisse aimer un porcher. Mais pour Ulysse, rien n'était étrange!

Pendant un moment, le repas se poursuivit en silence. Eumée était ému et troublé. Ulysse qui le remarqua lui dit doucement:

– Pourquoi ne reviendrait-il pas? Tu dois avoir confiance.

– Je n'ai plus confiance.

– Et s'il revenait vraiment? Si, d'une façon ou d'une autre, Ulysse rentrait à Ithaque?

– Dans ce cas... mais non, non. C'est impossible!

– Écoute, mon ami, je te le dis sérieusement — ce ne sont pas des paroles en l'air — je te fais la promesse solennelle qu'Ulysse reviendra.

– Ce ne sont que des paroles!

– Non. Ulysse reviendra. Il reviendra, il rentrera chez lui et punira ceux qui ont offensé et déshonoré sa femme et son fils! Serais-tu prêt à me donner un nouveau manteau et une nouvelle tunique si mes paroles devenaient réalité?

– Oui, je te donnerai un nouveau manteau et une nouvelle tunique, acquiesça Eumée en souriant âprement. Mais, mon ami, je n'aurai jamais à te les donner parce que je sais trop bien que mon roi ne reverra jamais Ithaque. Maintenant, bois, étranger, et changeons de sujet. Lorsque je parle de ces choses, au sujet de mon maître, je sens une lourdeur dans mon cœur et tout me semble laid et futile.

– Et le fils de ton roi...

Eumée verse du vin à son hôte.

– Télémaque? C'est un jeune homme très bon et très brave. Mais que peut-il faire, dis-moi, contre les prétendants? Il est fort, mais il n'a jamais eu de père pour lui enseigner le maniement des armes de combat. S'ils le voulaient, les prétendants pourraient le tuer n'importe quand... Pas maintenant, par contre. Il est allé à Sparte pour avoir des nouvelles d'Ulysse. Il a eu tort de partir. Il n'aurait pas dû laisser sa mère seule! Et, selon moi, il doit avoir perdu l'esprit pour partir en mer après ce qui est arrivé à son père.

Un long silence suivit. On entendait seulement l'écho des vagues se fracassant impitoyablement contre la rive rocheuse. Puis, Eumée dit encore:

– Mais parle-moi de toi, vieil homme. Qui es-tu? D'où viens-tu? Tu dis avoir beaucoup voyagé, et ce doit être vrai, car je vois que ta force s'est effacée. Dis-moi, alors. Si nous parlons de toi, nous ne parlerons plus d'Ulysse. Je ne peux supporter ce qui arrive sur cette île.

Ulysse but et répondit:

Eumée dort avec les porcs pour les garder à l'œil.

– Mon ami, tu veux connaître mon histoire... Bien, même si je te parle des heures et des heures, cela ne suffirait pas pour tout te raconter. Je te dirai seulement pour l'instant que j'ai déjà été puissant et riche, et que j'ai combattu sous les murs de Troie. Là, j'ai rencontré Ulysse. Et j'ai aussi entendu parler de Phédon, roi des Thesprotes, où je suis arrivé après des milliers d'aventures. Phédon m'a dit que, peu avant mon arrivée, Ulysse était dans son palais. Le roi m'a dit qu'il l'avait accueilli et lui avait offert l'hospitalité alors qu'il rentrait dans sa terre natale.

– Mais... Alors? Pourquoi n'est-il pas revenu? demanda Eumée.

– Je ne sais pas. Ulysse a quitté le palais de Phédon pour consulter un oracle. Je n'en sais pas plus.

– Si mon maître est allé consulter un oracle, s'il a échappé à la mort sous les murs de Troie, cela veut dire qu'il y a encore de l'espoir!... s'exclama Eumée. Mais non, ajouta-t-il en secouant la tête, non. C'est trop tard. Si Ulysse n'est pas encore rentré chez lui, cela veut dire qu'il ne reviendra jamais.

– Je vois que rien ne peut te convaincre. Très bien. Nous nous sommes mis d'accord, cependant. Si ton maître revient, tu me donneras un manteau et une tunique!

– Qu'il en soit ainsi! répondit Eumée d'une façon distraite, en se levant. Je te donnerai ces choses si mon maître revient!

– Que regardes-tu? demanda Ulysse.

– Ah, les voilà! fut la réponse. Quelques amis devaient venir manger avec moi, et ils arrivent.

En effet, des porchers rentraient de leur journée de travail et Eumée alla au-devant d'eux.

– Mes amis, nous avons un hôte qui a beaucoup voyagé. Apportez le porc le plus gras. Pour une fois, les prétendants n'auront pas le meilleur pour eux!

Le cochon fut égorgé, dépouillé de sa peau et rôti à la broche. Eumée le découpa avec soin et le banquet rustique commença.

– Merci, Ô Eumée, dit Ulysse. Tu m'honores des meilleurs morceaux!

– Mange, étranger, et bois encore. Buvons tous, mes amis, ajouta Eumée, le visage triste, à celui qui est loin, mais qui demeure toujours vivant dans nos cœurs. Buvons à notre roi, Ulysse!

Ils mangèrent et burent, et les ombres de la nuit tombèrent rapidement sur eux. Le ciel se couvrit de nuages et il se mit à pleuvoir. Pendant que la pluie tombait, Ulysse se remit à parler.

– Écoutez, mes amis, ce qui est arrivé lorsque je me suis battu sous les murs de Troie, il y a bien des années. Je suis allé avec Ménélas et Ulysse tendre une embuscade à une patrouille troyenne. Nous avons attendu plusieurs heures, tapis dans les buissons, et une pluie glaciale s'est mise à tomber. Je n'avais pas pris mon manteau et j'étais gelé jusqu'aux os. Grelottant, je le dis à Ulysse. Afin de m'aider, il murmura : «J'ai besoin d'un volontaire pour courir au campement s'assurer que quelqu'un viendra nous prêter main-forte au moment du combat!» Ayant entendu, un guerrier se leva et partit avec empressement, laissant son manteau derrière lui. Ulysse me le tendit alors en me disant : «Tiens, ne meurs pas de froid, couvre-toi!»

En écoutant cette histoire, tous reconnurent l'astuce d'Ulysse et Eumée dit :

– Très bien, vieil homme, tu peux être certain que tu ne mourras pas de froid cette nuit non plus!

Et lorsque ses invités partirent, il ajouta des feuilles dans le lit, invitant Ulysse à s'étendre dessus et le couvrant de son manteau usé.

Eumée ne dormit pas dans la cabane. Même si son maître était mort, comme il le pensait, il devait garder ses porcs. Il prit une épée et alla s'installer à l'extérieur dans une petite caverne, à l'abri du vent. Ulysse, les yeux mi-clos, chuchota :

– Tu auras ta récompense, fidèle Eumée.

CHANT XV

Pendant ce temps, Athéna avait atteint Sparte. Invisible dans l'imposant palais de Ménélas, elle s'approcha de Télémaque qui dormait avec agitation, désireux d'entendre parler de son père. Elle lui murmura doucement à l'oreille:

– Que fais-tu encore là, Télémaque? Il n'est pas convenable de partir ainsi, d'abandonner ta maison entre les mains d'un groupe de vauriens qui veulent dilapider la fortune de ton père et éloigner ta mère de toi.

Dans son sommeil, le jeune marmonna doucement, et Athéna poursuivit:

– Si les parents de Pénélope l'exhortent à épouser Eurymaque, le plus beau et le plus fort des prétendants, qu'arrivera-t-il de tes biens si tu n'es pas là? Va. Prends congé de Ménélas et pars immédiatement parce que ta place est à Ithaque. Mais prends garde et tiens-toi aussi loin que possible des détroits entre les îles d'Ithaque et de Samos, car un vaisseau attend pour te tendre une embuscade. Ne t'arrête même pas la nuit. Dès que tu seras arrivé à Ithaque, cours chez le porcher Eumée, qui garde tes porcs.

Ayant ainsi parlé, la déesse se tut. Télémaque s'éveilla, se leva et regarda le ciel, impatient de voir le jour se lever. En fait, il comprenait maintenant qu'il était resté trop longtemps absent. Le soleil venait à peine de se lever que Télémaque se présentait devant Ménélas et lui demandait la permission de prendre congé. Ménélas l'écouta, le comprit et lui dit:

– Oui, il est vrai que tu devrais partir, Télémaque. Pars, et que ton voyage se passe bien.

Après avoir pris congé de la belle Hélène, Télémaque retourna à Pylos et monta à bord de son vaisseau où ses compagnons l'attendaient impatiemment. Les voiles déployées, le rapide vaisseau fonça sur Ithaque.

Pendant que Télémaque naviguait, Eumée, dans sa cabane, se préparait à sa journée de travail. Il prépara quelque chose à manger avec ses aides. Ulysse, toujours affublé de son déguisement de vieillard, s'assit parmi eux et, buvant un peu de soupe, demanda:

– Dis-moi, Eumée, Ulysse a-t-il toujours un père? Et une mère?

Le vaisseau de Télémaque fait voile vers Ithaque.

Ulysse demande à Eumée des nouvelles de son père.

– Certainement, il a encore son père. C'est Laerte, l'homme le plus gentil et le plus malchanceux que je connaisse. Tu vois, étranger, jusqu'à ce qu'Ulysse parte de chez lui, Laerte vivait au palais. Bien sûr, il était trop âgé pour combattre, pour dresser des chevaux, pour conduire des vaisseaux, mais il pouvait encore chasser. Maintenant, pauvre homme, il vit dans une cabane comme celle-ci et, chaque jour, il pleure la mort de son fils... Quant à sa mère, elle est morte de chagrin. Tout est perdu. Laerte est un paysan, Pénélope est détenue par les prétendants et Télémaque est trop jeune pour lutter contre eux. Tu vois, il y a bien des choses tristes qui surviennent sur l'île d'Ithaque.

– Oui, je comprends. Mais, dis-moi, Eumée, si j'allais au palais offrir mes services aux prétendants?

– Quoi? As-tu perdu la tête, vieil homme?

– Non. Je veux dire que je ne peux rester ici avec toi; il est correct que je gagne mon pain quotidien. Oh, oui, je pourrais toujours mendier, mais je n'aime pas ça. Je préfère travailler. Personne ne peut couper le bois avec autant de précision, personne ne peut faire un feu comme je le fais et, plus encore, je peux faire d'autres choses comme dépecer la viande, aller chercher le vin... Je suis un bon cuisinier et un excellent échanson...

Eumée leva la main pour l'empêcher d'en dire plus.

– Suffit, étranger. N'en dis pas plus. Si tu veux aller au palais, écoute d'abord ce que j'ai à te dire. Veux-tu frôler la mort? Les prétendants sont insolents, des vauriens sans pitié, et leurs serviteurs sont comme eux. Ils sont tous bien vêtus, tous parfumés, avec les cheveux bien huilés. Si tu te présentes devant eux, tu te feras insulter et humilier! Non, reste avec moi. Ici, tu ne nuis à personne.

– Mais, poursuivit Ulysse en pesant toute l'honnêteté et la loyauté d'Eumée, si je reste, je mangerai la nourriture de Télémaque.

– En effet. Et puisque Télémaque sera bientôt de retour, ce sera à lui de décider si tu dois rester ou non. Je pense, dit Eumée, avec l'approbation des autres porchers, qu'il te dira de rester et qu'il t'offrira une tunique et un manteau, et qu'il s'assurera que tu atteignes ta destination, quelle qu'elle soit.

– Espérons, alors, que Télémaque reviendra bientôt, murmura Ulysse.

Pendant ce temps, Télémaque naviguait vers sa demeure. Obéissant aux ordres donnés par la voix mystérieuse, il se tint loin des îles qui miroitaient dans les eaux grecques — des grandes, des petites et de simples écueils. Il ne donna même pas l'ordre de descendre les voiles la nuit. Il se tenait près de l'homme de barre qui, les yeux scrutant les étoiles, guidait le vaisseau vers Ithaque. Les prétendants, qui attendaient dans le détroit de Samos, ne se rendirent compte de rien. Il faisait jour quand le vaisseau entra au port.

Télémaque arrive à la cabane d'Eumée.

– Descendez, mes amis, dit Télémaque à ses compagnons. Je vous rejoindrai tout à l'heure.

– Devons-nous prévenir ta mère de ton arrivée? demanda l'un des marins, Théoclymène.

– Pas encore. De toute façon, il n'est pas facile de la voir. Elle demeure seule, dans sa chambre, tissant toute la journée. Ne lui dites rien.

– Regardez! s'écria quelqu'un à ce moment précis.

Tous levèrent la tête. Droit au-dessus du vaisseau, un faucon était apparu tenant dans ses serres une colombe dont les plumes, arrachées par l'oiseau de proie, tombaient sur le vaisseau. Tout cela se produisit en une fraction de seconde et, dans un grand cri, le faucon s'éloigna de nouveau. Quelqu'un murmura:

– C'est un présage envoyé par les dieux, Télémaque. Quelque chose va arriver sur notre terre.

– Ce qui doit arriver arrivera, répondit Télémaque d'un ton ferme.

Puis, saisissant sa lance, il ajouta:

– Nous sommes donc d'accord. Allez en ville. Nous nous reverrons plus tard.

Sur ce, il s'élança sur le chemin des montagnes et marcha jusqu'à la cabane d'Eumée. D'étranges pensées envahissaient son esprit. Oui, probablement que l'apparition du faucon était un présage... mais qu'est-ce que cela voulait dire? Quelle était la signification de l'oiseau de proie et de la colombe, sauvagement plumée et destinée à mourir?... Quelqu'un mourrait-il bientôt à Ithaque? Mais qui? Peut-être lui, Télémaque?... Oui, peut-être. «Fort probablement! pensa le jeune homme en marchant à grands pas sur les sentiers parmi les oliviers, les rochers et les champs verts. En fait, je suis seul contre tous les prétendants et, s'ils ne réussissent pas à m'arrêter en mer, ils peuvent le faire où bon leur semble dans le palais. S'ils le veulent, ils peuvent me tuer même dans mes appartements. Et qui, alors, réconfortera ma mère?»

Télémaque essaya d'éloigner ces tristes pensées jusqu'à ce qu'il arrive en vue de la cabane d'Eumée. Les chiens du porcher, qui avaient senti qu'on approchait, bondirent, claquant des dents et grognant. Lorsqu'ils virent Télémaque, par contre, ils coururent vers lui agitant la queue d'une façon amicale. Ils connaissaient bien ce jeune homme — il était leur ami et l'ami de leur maître. Ils grimpèrent sur lui pour se faire caresser et Télémaque, entouré par les chiens, s'approcha de la cabane.

– Eumée! appela-t-il. Eumée! Es-tu là?...

À l'intérieur de la cabane, Ulysse dit à Eumée :

– Mon ami, tu as un visiteur que tes chiens connaissent bien parce qu'ils n'aboient pas. Au contraire, d'après ce que je peux voir d'ici, ils lui réservent un accueil chaleureux.

– Qui cela peut-il bien être ? chuchota Eumée.

Et là, sur le seuil de la porte, apparut Télémaque. En le voyant, Eumée se leva avec tant d'empressement qu'il renversa une cruche remplie de vin. Il tendit les bras et se mordit les lèvres pour réprimer les larmes de joie qui lui montaient aux yeux, mais il en fut incapable et elles ruisselèrent sur son visage.

– Tu es là, Télémaque, lumière de mes jours, s'exclama-t-il d'une voix brisée. J'ai... Oui, j'ai eu peur de ne plus jamais te revoir, mon cher enfant ! J'ai eu peur que... Oh ! Laisse-moi t'étreindre, Télémaque !

Se jetant dans les bras du fidèle vieillard, Télémaque dit :

– Eumée, je suis bien vivant, comme tu peux le voir. Et je suis venu vers toi pour apprendre ce qui s'est passé pendant mon absence. Comment est ma mère ?... et il ajouta : Est-elle encore ma mère ou s'est-elle remariée ?

– Oh, non ! s'empressa de répondre le porcher. Non, elle leur tient tête ! Elle pleure beaucoup, mais elle leur tient tête !

– Je comprends, murmura Télémaque, et, à ce moment précis, il remarqua Ulysse qui le regar-

dait avec intensité de sous son capuchon usé. Ce dernier se leva pour céder son siège.

– Non, étranger, reste assis, dit Télémaque. Eumée m'en trouvera un autre, n'est-ce pas, Eumée ?

– Ici, sur ces feuilles aux doux parfums, mon cher enfant ! Assieds-toi ici !

Tandis qu'il s'asseyait et appuyait sa lance contre le mur, Télémaque demanda :

– D'où viens-tu, vieil homme ? Je n'ai pas l'impression de t'avoir déjà vu ici, à Ithaque. Et qui t'a amené ici ? Tu n'es certainement pas venu à pied ?

– Il vient de Crète, répondit Eumée, et il a fait le tour du monde ! Je l'ai gardé ici, avec moi, mais maintenant, je te le confie, car tu es le seigneur d'Ithaque.

Un sourire amer se dessina sur les lèvres de Télémaque.

– Moi ? Non, les seigneurs sont les prétendants qui demeurent au palais, qui mangent et boivent à mes frais, qui dilapident ma fortune... et qui, peut-être, me tueront bientôt. Mais peu importe. Reste ici si tu le désires, vieil homme, je t'enverrai des vêtements et de la nourriture. J'aimerais que tu sois mon hôte, au palais, mais je ne suis plus maître dans la maison de mon père.

– Eumée m'a raconté l'histoire de ton père, murmura Ulysse, et je suis certain qu'il reviendra.

– Que ce soit la volonté des dieux, dit Télémaque. Eumée, s'il te plaît, va en ville voir ma mère, et dis-lui que je suis ici. J'irai la voir ce soir, quand les prétendants seront endormis.

– Je ferai comme tu le demandes, Télémaque ! dit-il humblement avant de partir.

Alors, à l'extérieur de la cabane, Athéna apparut. Ni le porcher, ni Télémaque ne la virent. Mais les chiens pouvaient la voir et ils s'enfuirent en geignant. Ulysse aussi pouvait la voir et il s'empressa de sortir de la cabane pour l'accueillir.

– Ulysse, lui dit la déesse, parle tout de suite à ton fils. Confie-lui ton secret et prépare ta vengeance avec lui !

Sur ces mots, Athéna toucha Ulysse de sa baguette et ce dernier retrouva immédiatement son apparence. De nouveau, il était grand, de forte carrure et vigoureux, le visage fier, les yeux brillants et intelligents. Tandis qu'Athéna disparaissait, Ulysse retourna dans la cabane.

Eumée accueille Télémaque.

En le voyant, Télémaque se leva, surpris.

– Tu es différent de l'homme qui vient juste de sortir, étranger... bégaya-t-il. Es-tu un dieu? Si tu l'es, aie pitié de nous!

– Non, je ne suis pas un dieu, Télémaque, répondit Ulysse. Je suis ton père!

– Mon père! s'exclama le jeune homme en blêmissant. Mais... mais comment est-ce possible?... Il y a à peine une minute...

– Il y a à peine une minute, j'étais un pauvre vieillard, oui. Et maintenant, par la volonté d'Athéna, je suis de nouveau moi-même. Mon fils, Télémaque! s'écria Ulysse en ouvrant ses bras puissants. Me voici de retour à la maison, après vingt ans!

Pleurant de joie, Télémaque se jeta dans les bras de son père. Ulysse le serra longtemps contre lui, mêlant ses propres larmes à celles de son fils.

– Écoute, Télémaque, dit-il finalement, nous devons agir, et vite! Dis-moi, combien de prétendants sont-ils? Pouvons-nous les réduire au silence à nous deux, ou sont-ils trop nombreux?

Athéna touche Ulysse de sa baguette et lui redonne sa vraie apparence.

Pleurant de joie, Télémaque enlace son père.

– À nous deux, seuls? Oh, non, père! Avec leurs serviteurs, ils sont à peu près une centaine. Sans alliés, nous ne réussirons pas!

– Des alliés... en fait, dit Ulysse calmement, nous en avons deux.

– Seulement deux?

– Oui, Athéna et Zeus. Avec eux, mon fils, la victoire est à nous. Écoute-moi, maintenant. Va au palais. Sois gentil et humble avec les prétendants afin qu'ils ne te fassent aucun mal... j'irai moi aussi, mais sous le couvert d'un vieux mendiant. Ne t'inquiète pas s'ils s'attaquent à moi, mais essaie de prendre toutes les armes qui sont suspendues sur les murs de la grande salle et range-les en lieu sûr où ils ne pourront pas les trouver.

– Mais, comment? demanda Télémaque bouleversé.

Ulysse ne prit pas de temps à répondre:

– Dis-leur qu'en étant près du feu, les armes se terniront et que tu veux éviter une querelle. Prépare, pour nous, deux lances, deux épées et deux boucliers... Les dieux prendront soin du reste. Va! Ah, une chose encore. Ne dis à personne que je suis revenu, ni à mon père, ni à Eumée, ni à ta mère, Pénélope! Tu le jures?

Ulysse est de nouveau transformé en vieux mendiant par Athéna.

– J'obéirai à tes ordres, père, répondit Télémaque.

Et, le cœur battant à tout rompre, il se hâta vers la ville et le palais.

Pendant ce temps, Athéna apparut à Ulysse.

– Oui, lui dit-elle, je serai à tes côtés pendant la lutte. En attendant, reprends ton déguisement de vieux mendiant!

D'un geste de la main, la transformation fut achevée.

Pendant que tout cela s'était produit, en haut dans les collines, au palais, les prétendants parlaient du retour de Télémaque. Ils avaient vu son vaisseau dans le port.

– Il a donc évité notre embuscade. Il est encore ici, ce jeunot braillard!

– C'est mieux ainsi! Certaines choses sont mieux faites sur terre qu'en mer. Nous attendrons le moment propice et nous nous débarrasserons de lui! Une chose est certaine, le jeune Télémaque ne vivra pas longtemps!

De grands rires acclamèrent ces paroles. Et les prétendants poursuivirent leurs jeux et leur festin, et ils ne remarquèrent même pas Télémaque qui traversait la salle resplendissante et qui montait les marches qui menaient aux appartements de la belle et sage Pénélope.

Elle l'accueillit les yeux remplis de larmes.

– Mon fils, lumière de ma vie, tu es de retour! Qu'as-tu appris? J'ai eu si peur pour toi! Eumée, le porcher, était là il y a un instant et il m'a annoncé ton arrivée! Dis-moi, qu'as-tu entendu pendant que tu étais à Sparte?

– Rien sur mon père, dit Télémaque en baissant les yeux. Malheureusement rien. J'ai parlé à Ménélas, à la divine Hélène... Rien, mère, ajouta-t-il, mais en dépit de cela, nous devons attendre encore quelques jours. Attends et ne donne pas de réponse à ces vauriens effrontés qui se sont établis dans cette maison et que je... je...

– Calme-toi, mon fils. Je ne cesserai pas d'espérer et d'attendre. Non, je ne leur dirai rien, même si leur insistance est insupportable. Je resterai ici et je ferai comme tu me le demanderas. Mais toi, ajouta Pénélope, en serrant son fils contre elle, tu dois être très prudent! Ils veulent te tuer, tu sais!

– Ils mourront peut-être avant moi! répondit calmement Télémaque.

Ensuite, ils allèrent tous deux affronter les prétendants. Pénélope, avec colère, les accusa de piller la maison d'Ulysse, un homme à qui plusieurs d'entre eux devaient la vie, et de conspirer pour déshonorer sa famille. Son éclat les laissa silencieux et mornes.

Pendant ce temps, Ulysse, qui était redevenu une fois de plus un vieux mendiant, discutait avec Eumée qui était revenu à sa cabane.

– Je veux aller en ville, Eumée, dit-il, mendier au palais. Tu sais... je suis trop vieux pour travailler.

– Comme tu le veux. Viens, je vais t'accompagner... mais prends garde! Si tu entres au palais, j'ai bien peur que les prétendants ne te traitent pas gentiment!... Partons!

CHANT XVII

Ils partirent et arrivèrent bientôt aux jardins derrière le palais. Là, sur un tas d'excréments, était couché un vieux chien malade, couvert de tiques, qui leva soudain la tête, dressa les oreilles et regarda Ulysse avec des yeux humides en agitant la queue. Ulysse eut peine à contenir son émotion et essuya une larme. Argus! c'était son fidèle chien, Argus!... Le chien l'avait reconnu. D'une voix brisée, il dit:

– Eumée... ce chien...

– Oui, c'était le chien d'Ulysse. Regarde-le, le pauvre. Personne ne s'en occupe!...

Ulysse aurait aimé caresser le pauvre Argus, mais il ne voulait pas se trahir. Alors, il alla au palais... et Argus mourut. Son cœur faible et loyal ne put supporter l'émotion de revoir son maître bien-aimé.

Ulysse entra dans la grande salle où les prétendants étaient assemblés autour d'un banquet. Vêtu de haillons et marchant en s'appuyant sur son bâton, Ulysse s'assit humblement sur la marche, tout près de la porte. Télémaque le vit, appela Eumée et lui donna une miche de pain entière.

– Donne-la au vieillard, lui dit-il, et demande-lui de mendier auprès de chaque homme, à tour de rôle. Mendier n'est pas une honte quand on est aussi pauvre.

Ulysse prit le pain et le mangea lentement. Puis, comme le lui avait suggéré Eumée, il se leva et passa d'un prétendant à l'autre, en tendant sa vieille main pour mendier.

Déconcertés, les prétendants se demandaient qui pouvait bien être ce vieillard débraillé.

– On ne sait pas qui il est, répondit un des serviteurs. C'est Eumée, le porcher, qui l'a amené ici.

– Ah! s'exclama Antinoos. C'est un beau cadeau que tu nous a fait, Eumée. Tu n'arrêtes pas de dire qu'on mange trop et tu amènes un hôte à notre table!

À ces mots, les prétendants éclatèrent de rire et Eumée répondit fièrement:

– Antinoos, aussi longtemps que Pénélope vivra dans ce palais avec Télémaque, j'inviterai des pauvres en leur nom!

– Ne dis rien, Eumée, intervint Télémaque. Ne parle pas ainsi, n'agace pas Antinoos!...

Mais c'était trop tard. Alcinoos était déjà rouge de colère!

Le chien Argus reconnaît son maître.

– Ah! s'exclama-t-il. C'est donc ça que tu penses? Bien, écoute, Eumée, si nous donnons tous à ce vieillard crasseux ce que je vais lui donner, il ne reviendra pas nous ennuyer avant au moins trois mois!

Et, parlant ainsi, il empoigna un tabouret et, le montrant à chacun, ajouta:

– Tiens, ceci sera mon cadeau!

Ulysse se contrôla, même si son sang bouillait dans ses veines et, demeurant humble, il continua à faire le tour de l'assemblée en tendant la main. Plusieurs, parmi les prétendants, lui donnèrent du pain et de la viande, et même quelques beaux morceaux. Finalement, il revint à Antinoos.

– Mon seigneur, lui dit-il, tu sembles le plus noble de tous. Tu dois donc me donner le meilleur morceau de tous. Moi aussi, tu sais, j'ai eu un riche palais et moi aussi...

Antinoos, furieux, l'interrompit.

– Suffit! Qu'est-ce que j'ai à faire de l'histoire de ta vie, espèce de va-nu-pieds? Reste où tu es! Ne t'approche pas de moi!

Ulysse s'arrêta puis, s'éloignant, il dit:

– Très bien, je partirai. Je croyais que tu étais un homme noble, mais il n'en est rien puisque tu ne veux même pas me donner un quignon de pain!

Antinoos l'entendit et, dans sa rage, ramassa le tabouret et le lança à Ulysse, le touchant au sommet de l'épaule droite. La violence du coup et le poids du tabouret étaient tels que n'importe qui se serait écroulé sous l'impact. Mais Ulysse ne tomba pas. Il resta debout, bien droit et, dans le silence, menaça:

– Antinoos, le destin te punira pour ce que tu as fait!

Il se rendit ensuite dans un coin de la salle et, le visage pâle, commença à manger ce que les prétendants lui avaient donné. Impressionnés, les prétendants murmuraient entre eux:

– Vraiment, Antinoos a eu tort de s'en prendre au vieillard! Si c'était quelque dieu déguisé, qui sait?...

Le banquet se poursuivit ainsi que les discussions et les rires. Soudain, dans la grande salle, arriva Iros, un gueux bien connu parce qu'il mendiait à toutes les portes d'Ithaque. Il était aussi réputé pour sa stupidité. Malgré sa grande taille, il était sans force ni dignité et il affichait un air des plus arrogants. Les prétendants se moquaient

Antinoos jette un lourd tabouret à Ulysse.

toujours de lui derrière son dos. Et c'était dans l'unique but de leur plaire qu'Iros, s'avançant, se tourna vers Ulysse en disant:

– Eh! Que fais-tu ici, horrible vieillard? Va-t'en, entends-tu? Sinon je te prendrai par la cheville et te traînerai dehors moi-même!

– Iros, répondit Ulysse, nous sommes tous les deux pauvres. Pourquoi m'insultes-tu? Bois et mange tout comme moi et ne me provoque pas si tu veux remettre encore les pieds dans ce palais!

– Écoutez le discours de ce misérable homme! Tu veux peut-être te battre contre moi? Mais fais bien attention, je suis plus jeune que toi et je peux vraiment te donner une bonne correction et te traîner par la cheville!

Ulysse se leva et Antinoos s'exclama:

– Mes amis, si ces deux mendiants se battent, nous allons assister à un spectacle intéressant. Écoutez, je propose que le gagnant soit invité à venir chaque jour manger nos restes et il sera le seul mendiant à pouvoir entrer au palais. Qu'en dites-vous?

CHANT XVIII

Les prétendants approuvèrent avec des cris de joie. Et Iros, qui se préparait au combat, cria :

– Je vais lui écraser toutes les dents! Allons, avance, va-nu-pieds, si tu oses!

Et parlant ainsi, il donna un coup sur l'épaule droite d'Ulysse... En une fraction de seconde Ulysse répliqua par un coup de poing puissant, cognant Iros sous l'œil. On entendit le craquement des os écrasés. Iros tomba face première, vomissant du sang. Un grand silence se fit soudain. Tous les prétendants demeurèrent stupéfaits. Puis Ulysse saisit Iros par la cheville et le traîna dehors, le roulant dans la poussière.

– Là! Et maintenant, reste dehors, Iros, lança-t-il en l'asseyant contre le mur, et garde les chiens et les porcs au large!

Ulysse rentra au palais où on entendait les murmures des prétendants. On sentait un mélange de colère, d'admiration et de rancune. «Qui peut-il bien être?» demandait l'un d'eux à voix basse. «Ce mendiant est aussi habile avec les mots qu'avec ses poings.» Ulysse ne regarda pas autour de lui; il retourna s'asseoir dans son coin et se remit à manger. Quelques prétendants s'apprêtaient à lui parler, à le provoquer, peut-être même à l'insulter, quand, sur le seuil de la porte, belle et solennelle, apparut Pénélope.

Le silence se fit de nouveau et tous la regardèrent. Pénélope, plus belle que jamais grâce au charme que lui avait donné Athéna, semblait être la femme qui méritait le plus d'être aimée. Chacun espérait que son regard se poserait sur lui. Mais Pénélope se tourna vers Télémaque et lui dit, d'un ton ferme :

– On m'a dit, mon fils, qu'on avait insulté et persécuté cet homme, cet étranger. Il est déplorable qu'une telle chose puisse survenir sous le toit d'Ulysse. Tout étranger est sacré, qu'il soit pauvre ou riche, prince ou mendiant.

– Mère, répondit Télémaque, je ne peux rien contre ces gens qui mangent à notre table!

Alors Eurymaque se leva et s'exclama :

– Pénélope, nous savons que nous t'agaçons parce que nous sommes trop nombreux dans ta maison! Mais, ajouta-t-il, tu es si belle, que c'est un miracle que nous soyons si peu nombreux!

Ulysse saisit Iros par la cheville et le traîne dehors.

Quelqu'un se mit à rire, mais Pénélope répondit:

— Non, vous m'ennuyez parce que la plupart d'entre vous êtes avides et insignifiants. Vous voulez m'épouser et, déjà, vous dilapidez mon bien; vous prétendez que vous m'aimez et, déjà, vous m'insultez dans cette maison. Si mon mari, Ulysse, était ici, lequel d'entre vous aurait l'audace d'agir comme il le fait?

Il n'y eut aucune réponse.

Et Ulysse, assis dans son coin, se sentit réconforté. Oui, sa chère femme, dont la vue l'avait fait frissonner d'émotion, ne l'avait pas oublié. Elle l'aimait toujours, malgré tous les prétendants qui voulaient l'épouser. Oui, il valait la peine de souffrir pour une femme comme Pénélope. Pendant ce temps, les prétendants, piqués au vif par les paroles de la reine, rivalisaient les uns contre les autres en lui offrant des cadeaux. Pénélope leur jeta un regard glacial et s'en fut dans ses appartements.

La nuit était tombée. Cette journée n'avait pas été comme les autres, parce que cet étranger vagabond était venu semer la pagaille. Mais, en fait, ç'avait été un jour comme les autres, parce que les prétendants avaient bu et mangé à même la fortune de l'homme qu'ils croyaient perdu et qui, ils en étaient certains, ne reviendrait jamais.

De grands feux furent allumés. Ulysse passa de l'un à l'autre, donnant des coups de tisonnier dans chacun pour alimenter les flammes.

— Mes amis, regardez! s'exclama alors Eurymaque. Je crois vraiment que cet homme nous est tombé du ciel. Il n'a pas un seul cheveu et son crâne chauve brille comme une lumière! Eh, étranger, railla-t-il parmi les éclats de rire, qu'as-tu à répondre à cela? Voudrais-tu travailler pour moi? Tu serais bien payé. Ou préfères-tu rester ici et mendier ta nourriture? Allons, réponds-moi, espèce de va-nu-pieds!

— Eurymaque, répondit Ulysse après un moment, si nous étions à la guerre, tous les deux armés, peut-être que tu ne me parlerais pas ainsi. Tu m'insultes parce que tu te sens à l'abri parmi tes amis. Mais si Ulysse était ici, alors cette grande porte, là, te semblerait trop étroite, tellement tu serais pressé de t'enfuir!

Belle et solennelle, Pénélope apparaît sur le seuil de la porte.

Devenant livide de colère en entendant ces paroles, Eurymaque saisit un tabouret et, comme l'avait fait quelques instants plus tôt Antinoos, le lança sur Ulysse. Le tabouret manqua sa cible mais, à la place, atteignit l'échanson Amphinomos, un autre jeune noble, lui coupa la main et l'homme tomba inconscient sur le sol. Il y eut un grand bouleversement.

– Ça suffit! cria un des prétendants. Avez-vous perdu la tête pour vous disputer ainsi à cause d'un simple vagabond?

– Oui, vous êtes devenus fous! s'exclama Télémaque. Vous êtes saoûls. Vous feriez mieux d'aller vous coucher!

– C'est exact! approuva un des prétendants après un moment de silence. Télémaque a raison. Nous avons peut-être trop bu. Prenons une dernière coupe de vin, mes amis, et que chacun aille dormir où bon lui semblera!

C'est alors que, dans la lueur rouge des flammes, les prétendants burent une fois de plus avant de partir dans leurs chars. Le silence tomba enfin sur le palais.

Le dernier char n'avait sitôt disparu qu'Ulysse se tourna vers Télémaque.

– Vite, mon fils, dit-il en lui montrant un grand assortiment de lances, d'épées, de boucliers et de casques suspendus au mur au-dessus du foyer. Décrochons ces armes et rangeons-les là où les prétendants ne pourront pas les trouver! Il n'y a pas de temps à perdre! Renvoie les servantes. Nous nous occuperons de tout... Si les prétendants te demandent où tu as mis les armes, tu leur répondras que tu les as envoyées les faire polir, car la fumée les avait ternies!

Télémaque s'empressa d'obéir et, travaillant rapidement et en silence, ils transportèrent les armes dans une chambre secrète du palais, où personne ne les trouverait.

– Et maintenant, pars, Télémaque, dit Ulysse. J'entends ta mère qui vient. Va. Je veux lui parler seul à seul.

Les prétendants quittent le palais sur leurs chars.

CHANT XIX

Le jeune homme s'en fut et, peu après, suivie de ses servantes, Pénélope arriva. Elle s'assit devant son métier et se mit à tisser en silence. Ulysse s'était incliné profondément lorsqu'il l'avait vue et, après un moment, elle lui dit:

– Étranger, approche-toi!

– Me voici, madame, dit-il en s'agenouillant sur le sol.

– Qui es-tu? D'où viens-tu?

– Cela t'importe-t-il de savoir qui je suis? Je viens de l'île lointaine de Crète. J'étais riche et puissant jusqu'à ce que Zeus me frappe.

– Je comprends. Il m'a frappée, moi aussi, en éloignant mon mari que j'aimais tant et que j'aime toujours. As-tu remarqué comme les prétendants devenaient de plus en plus arrogants à la fin de la journée? Ils demandent que je me décide et que j'accepte d'épouser l'un d'eux. Je leur ai résisté pendant dix ans, mais je suis à bout de force. Dans quelques jours, le cœur lourd, je devrai arrêter mon choix.

– Mais, murmura Ulysse, et si ton mari revenait?

– Il ne reviendra pas. Hélas, il ne reviendra plus. Et je serai condamnée à vivre une vie malheureuse. Pendant quatre ans, j'ai réussi à repousser les prétendants avec une simple ruse. «Je tisse un drap,» leur ai-je dit, «un suaire pour Laerte, le père de mon époux. Lorsque je l'aurai terminé, alors je choisirai l'un d'entre vous et j'accepterai de devenir sa femme.» Eh bien, étranger, je tissais le jour et, la nuit, je défaisais mon travail comme si le drap que je faisais n'avait pas de fin. Mais une de mes servantes, poursuivit-elle amèrement, a révélé mon secret. J'ai été trahie. Depuis, je n'ai rien fait d'autre que de me défendre... Maintenant, je suis trop fatiguée.

– Femme, tu es loyale envers Ulysse, je le sais. Alors, je vais te confier une chose que je n'ai révélée à personne d'autre.

– De quoi parles-tu? demanda Pénélope, avec anxiété.

– J'ai vu ton mari en Crète.

– Tu mens!

– Non. Il portait un manteau rouge avec une agrafe d'or à double trou qui représentait un chien tenant un faon entre ses dents.

Ulysse parle à Pénélope.

En lavant les pieds d'Ulysse, Euryclée, apercevant une vieille cicatrice, reconnaît son maître.

– Oui, dit Pénélope, tremblante d'émotion et incapable de retenir ses larmes, c'est moi qui lui ai offert ce manteau et cette broche.

– Ne pleure pas, car je sais, et ne me demande pas comment, qu'Ulysse est sur le point de rentrer. Il a beaucoup voyagé, il a vu beaucoup d'endroits et surmonté bien des dangers. Il a perdu tous ses meilleurs amis, toute sa flotte, mais il est sauf. Il reviendra plus tôt que tu ne le penses!

– Vieil homme, que Zeus t'entende, murmura Pénélope. Hélas, je n'y crois plus. J'ai trop longtemps espéré, je me suis noyée d'illusions afin de garder ma foi. Quoiqu'il arrive, à partir d'aujourd'hui, tu seras un invité d'honneur dans cette maison, car tu as fait battre mon cœur d'un nouvel espoir, même s'il s'évanouira bientôt. Servantes! appela-t-elle, lavez les pieds de cet homme et préparez-lui un bon lit. Il s'assoira parmi les autres à notre table et malheur à celui qui osera l'insulter!

Ulysse, ému par ces paroles, réussit à se maîtriser et, toujours à genoux, répondit:

– Femme loyale à Ulysse, fils de Laerte, je ne veux pas dormir dans un bon lit. Je préfère dormir sur la terre nue. Et je ne veux pas non plus que tes servantes me lavent les pieds. Elles sont toutes trop jeunes pour moi et certaines m'ont insulté et n'ont eu que du mépris à mon égard parce que les jeunes filles n'aiment pas les vieillards comme moi. Mais, ajouta-t-il, si tu as une servante âgée qui a souffert et qui comprend le malheur, alors oui, j'accepterais avec joie qu'elle me lave les pieds.

– Tu es sage, étranger, répondit Pénélope en souriant tristement. Il y a, en effet, une vieille servante, sage et ayant bon cœur. Cette femme s'est occupée d'Ulysse depuis le jour où il est né. Elle s'appelle Euryclée. Elle est épuisée et usée parce que le temps passe et laisse sa marque. Elle te lavera les pieds. Euryclée, appela alors Pénélope en se tournant, viens et lave les pieds de cet homme qui apporte des nouvelles de ton seigneur et maître, mon bien-aimé Ulysse.

Euryclée arriva sur-le-champ, les yeux rougis par les pleurs.

– Ah, seigneur, Zeus ne t'a pas épargné, dit-elle, car il t'a frappé et obligé à errer comme un mendiant, de terre en terre. Oui, je te laverai les pieds. Peut-être, ajouta-t-elle en pleurant, que le même sort est tombé sur mon roi et maître, Ulysse. Donne-moi tes pieds. Je vais les laver.

Sur ce, Ulysse s'éloigna un peu de Pénélope et s'assit sur un tabouret. Pénélope avait repris son travail, et la vieille Euryclée alla chercher une bassine d'eau chaude. Agenouillée devant Ulysse, elle murmura, avant de commencer à lui laver les pieds:

– Ah, étranger, de tous les gens qui sont venus ici... je n'ai jamais vu personne qui ressemble autant à Ulysse!

– Les vieilles personnes se ressemblent toutes, tu sais!

– Donne-moi ta jambe. Tu as peut-être raison!

Ulysse tendit sa jambe vers Euryclée qui s'empressa de la laver. Mais, soudain, le héros se

souvint d'une cicatrice que lui avait laissée, sur cette jambe, il y avait bien des années, lors d'une partie de chasse, la blessure d'une défense blanche de sanglier. Euryclée, pour avoir très souvent lavé les jambes d'Ulysse, connaissait très bien cette cicatrice. «Et si elle me reconnaît, pensa Ulysse, et se met à crier, révélant ainsi mon identité?...»

Il allait se lever. Mais c'était trop tard! Lavant sa jambe, Euryclée avait déjà aperçu la cicatrice qu'elle toucha d'une main tremblante. Elle l'avait reconnu. Tremblante, pouvant à peine respirer, elle lâcha le pied d'Ulysse qui retomba dans la bassine, faisant gicler l'eau sur le plancher. Saisie de joie, Euryclée voulut crier: «Ulysse, tu es revenu!», mais dans son émoi, elle ne put que prononcer des mots confus. Elle se tourna vers Pénélope voulant lui révéler que son mari était là, lorsque Ulysse lui mit la main sur la bouche en chuchotant:

– Euryclée, veux-tu ma perte? Tu m'as nourri quand j'étais enfant, veux-tu me tuer, maintenant?

Elle l'écouta avec de grands yeux et personne ne se rendit compte de ce qui s'était produit, parce qu'Athéna avait détourné l'attention de Pénélope ainsi que celle de ses servantes, en leur jetant un sort.

– Mon enfant, bégaya Euryclée dès qu'Ulysse l'eut relâchée, ne crains rien, fais-moi confiance!

– Sois fidèle! la prévint Ulysse de nouveau.

Euryclée continua de lui laver les pieds. Elle venait à peine de les essuyer et de les enduire d'huile parfumée que Pénélope vint vers eux.

– Étranger, dit-elle, j'ai réfléchi. Je dois me décider, et je le ferai demain. Je demanderai que l'on aligne dans le sol les douze grandes haches qui appartenaient à mon mari. Chacune a un anneau sur la tête. Ulysse pouvait tirer une flèche à travers les douze anneaux. Voici ce que je dirai aux prétendants: «J'épouserai celui qui, avec l'arc d'Ulysse, lancera une flèche à travers les douze anneaux!»

Ulysse comprit. Pénélope espérait qu'aucun des prétendants ne réussirait.

– Oui, femme honorable, dit-il, c'est là une excellente idée. Tu verras qu'avant que les prétendants puissent tendre cet arc, Ulysse, ton mari, sera de retour.

– Que les dieux t'entendent! murmura Pénélope, le cœur grandement troublé et, suivie de ses servantes, elle s'en alla. «Pourquoi ce vieillard parle-t-il ainsi?» se demanda-t-elle. «Est-il inspiré par les dieux pour dire de telles choses? Est-il possible qu'Ulysse revienne enfin demain, et qu'il me sauve?» se demanda-t-elle.

Couché sur une peau de cerf, Ulysse essaya de dormir dans la grande salle du palais, en vain. Il entendit les voix des servantes qui, dès que Pénélope était partie, avaient couru rejoindre les prétendants. Sa vengeance se tournerait aussi contre elles, pensa le héros, afin que sa maison soit lavée de toute trahison. Il n'aurait pitié de personne. Pénélope avait trop souffert.

CHANT XX

Alors qu'il essayait de dormir, Ulysse ne pensait qu'aux yeux de sa femme fidèle, rougis par tant de larmes. Il était remué par la colère... Il avait peine à se contenir. Mais il devait garder son calme, il devait se contrôler, car, demain, il aurait un rude combat à mener seul contre les prétendants... Peu importe, il gagnerait...

Comme le sommeil ne lui venait toujours pas, Athéna, apparut et lui murmura :

– Ne te tracasse pas, Ulysse. N'aie pas peur. Tu es seul contre une centaine, mais je suis à tes côtés. Dors, maintenant. Tu auras besoin de toute ta force demain.

Ulysse voulut lui parler, lui poser des questions, mais Athéna le fit sombrer dans un sommeil profond.

Les servantes préparent le festin.

Le lendemain matin, il fut réveillé par les voix des servantes. Elles préparaient déjà la grande salle pour l'important banquet. On savait que Pénélope avait décidé de se remarier et qu'elle choisirait son futur époux. Par conséquent, le palais devait rutiler, les vaches les plus grasses devaient être égorgées et les urnes remplies du meilleur vin. Déjà, un messager avait été envoyé dans les montagnes pour prévenir Eumée d'apporter les plus gros porcs et moutons. Déjà, on frottait les dalles, les parquets de marbre et les frises dorées. L'odeur alléchante du pain que l'on vient de cuire se propageait dans l'air. Ulysse put la sentir et se dit : «C'est bien, laissons les prétendants s'asseoir à ce banquet, ce sera leur dernier repas !»

De précieux tapis furent déroulés et on empila, près des immenses foyers, des bûches de bois odorant.

Télémaque, dès son réveil, avait demandé des nouvelles de l'étranger.

– Il a très peu mangé et bu, mon enfant, lui répondit Euryclée, et il a parlé très longtemps avec ta mère.

– Où est-il, maintenant?

– Dans la grande salle, mon enfant.

Ulysse était sorti dans le vestibule et là, il rencontra Eumée, le bon porcher obéissant, qui, avec l'aide d'un ami, amenait les porcs.

– Étranger, est-ce que les prétendants t'ont encore insulté? demanda-t-il en serrant les mains d'Ulysse.

– Quiconque insulte les invités dans la maison d'un autre sera durement puni par les dieux, Eumée !

– Espérons qu'il en soit ainsi. Regarde, encore des animaux pour ces diables effrontés ! Mais, dis-moi, est-ce vrai ce que l'on dit... qu'aujourd'hui, la sage Pénélope choisira son futur époux?

– Personne ne peut dire ce qui arrivera aujourd'hui, répondit Ulysse.

Soudain, une clameur s'éleva; des chevaux piaffaient et des voix fortes se faisaient entendre. Les prétendants étaient arrivés et entraient au palais. Dehors, l'abattage du bétail avait commencé. On préparait les broches à rôtir. Télémaque, qui avait enfin trouvé Ulysse, lui dit d'une voix forte :

– Tu t'assiéras près de moi, étranger. Et personne n'osera t'insulter !

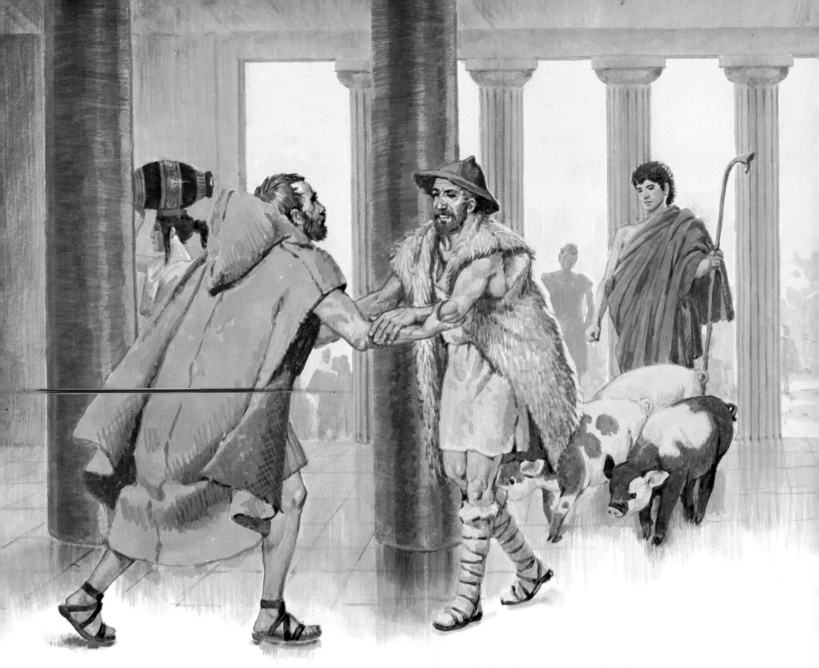

Dans le vestibule, Ulysse rencontre Eumée.

La nourriture et le vin furent finalement servis. Un à un, les prétendants prirent leur place à table et l'un d'eux, Ctésippe, qui avait entendu Télémaque, s'exclama :

– Tu as raison, jeune homme ! Ce vieux va-nu-pieds doit s'asseoir à table avec nous ! C'est tout simplement juste qu'il ait sa part ! Regardez, je vais lui donner tout de suite un morceau de choix et qu'il l'apprécie !

En disant ces mots, il lança avec violence un pied de bœuf à Ulysse qui eut à peine le temps de baisser vivement la tête.

Télémaque se leva d'un bond et s'écria :

– Il vaut mieux pour toi, Ctésippe, que tu aies manqué ta cible, sinon, je me serais vengé pour l'offense que tu viens de me faire !

Et il montra sa lance d'un geste de la main. Quelqu'un s'écria alors :

– Ça suffit ! Nous ne sommes pas venus ici pour nous disputer comme hier !

– Vous entendez ? Suffit les chamailleries !

– Depuis l'arrivée de l'étranger, nous n'avons fait que nous quereller !

Le banquet se poursuivit dans un calme relatif. Soudain, les prétendants cessèrent toute conversation. Là, sur le seuil de la porte, Pénélope venait d'arriver, suivie de ses servantes. Dans ses mains, elle tenait un arc puissant et un carquois rempli de flèches.

Dans le silence qui tomba sur l'assemblée, elle tourna ses yeux brillants vers les hommes attablés au banquet et leur dit :

– Écoutez-moi vous tous qui vivez depuis trop longtemps dans cette maison, sous prétexte de vouloir m'épouser. Écoutez ! J'ai pris ma décision. Je mettrai votre habileté et votre force à l'épreuve avec cet arc qui appartenait à mon inoubliable époux. Mes servantes, dit-elle en montrant les jeunes filles à ses côtés, ont apporté douze haches. Il y a un anneau à la tête de chacune de ces haches. Je promets d'épouser celui qui, parmi vous, pourra envoyer une flèche dans les douze anneaux. Eumée, voici l'arc. Montre-le aux prétendants.

Eumée, les yeux humides d'émotion, lui obéit, et Antinoos qui était le premier à recevoir l'arc s'exclama :

– Stupide porcher, pourquoi pleures-tu? Pénélope en est finalement venue à une décision et cette attente inutile prendra fin. Fais-moi voir cet arc... Hum, murmura-t-il, ce ne sera pas facile de le tendre... C'est l'arc d'Ulysse. Je me souviens de l'avoir vu avec avant qu'il ne parte pour Troie. En ce qui me concerne, je suis prêt et j'accepte.

Un autre prétendant dit :

– Il est cependant étrange qu'une femme demande une telle épreuve pour choisir son époux.

– Oui, en effet, répondit un autre.

Télémaque se leva alors.

– Vous qui voulez épouser ma mère, dit-il, le visage blême, un défi vous est lancé. Vous devez l'accepter sans trouver d'excuses pour l'éviter. Jusqu'à ce jour, vous disiez que Pénélope ne se décidait pas. Eh bien, maintenant, elle l'a fait. Il n'en tient donc plus qu'à vous.

Il enleva son manteau pourpre et ordonna aux servantes de lui apporter les haches. Tous les prétendants se levèrent et le regardèrent, émerveillés de la précision avec laquelle il avait aligné les haches.

Suivie de ses servantes, Pénélope apporte un grand arc et un carquois rempli de flèches.

140

CHANT XXI

Lorsqu'il eut aligné les haches, Télémaque prit l'arc des mains d'Eumée et essaya de le tendre... mais en vain. Il essaya une autre fois, en vain. Pour la troisième fois, il essaya de tendre l'arc... et, déconcerté, se tourna vers Ulysse qui, sans se faire voir, lui fit un signe voulant dire que c'était inutile, personne ne pouvait tendre cet arc.

– Hélas! soupira Télémaque avec un sourire amer, je suis trop jeune ou trop faible! Je n'y arrive pas. Mais vous, prétendants, qui êtes plus forts et plus adroits que moi, tenez, essayez! Vous y parviendrez, il n'y a aucun doute!

Il déposa l'arc et les flèches et reprit son siège. Antinoos se leva.

– Avancez, mes amis! Commençons par la droite, c'est de ce côté que l'on verse le vin! Voyons lequel d'entre nous mérite la belle Pénélope!

Le concours commença. Leiôdès fut le premier. Il essaya de tendre l'arc... deux, trois fois, puis démissionna en disant:

– Je suis incapable de le faire, mes amis. J'admets ma défaite. Que Pénélope épouse celui qu'elle espère.

Un silence stupéfiant tomba sur l'assemblée, mais Antinoos, sautant avec fougue sur ses pieds, s'exclama:

– Cet arc est trop rigide! Il doit être chauffé! Venez, faisons un feu!

On alluma un feu, l'arc fut huilé afin de le rendre plus souple et, tandis que les prétendants vaquaient à leurs tâches, silencieux et résolu, Ulysse fit signe à Eumée et à Philœtios, un autre porcher, de le suivre. Ils venaient à peine de quitter la grande salle qu'il se tourna vers eux et leur dit:

– Eumée, Philœtios, dites-moi franchement. Si Ulysse revenait maintenant et vous demandait de vous battre pour lui, quelle serait votre réponse?

– Si Zeus pouvait ramener mon roi, mes armes te donneraient la réponse! répondit sans attendre Eumée.

Alors Ulysse, se dressant de toute sa taille et repoussant son capuchon qui lui couvrait le visage dit:

– Me voici. C'est moi, Ulysse! Et laisse-moi te dire, Eumée, et à toi aussi, Philœtios, que si vous m'aidez, vous serez tous deux à mes yeux les frères de Télémaque. Regardez!

Il leur montra la cicatrice sur sa jambe.

Les deux hommes semblaient avoir été foudroyés. Ils tombèrent à genoux en pleurs. Ulysse les aida à se relever et leur dit:

– Il n'est pas temps de pleurer, ni de parler. Eumée, retourne dans la salle et, quand les prétendants auront terminé le concours, apporte-moi l'arc. Demande avant aux servantes de fermer toutes les portes à clé. Toi, Philœtios, verrouille les portes du palais afin que personne ne puisse y entrer ou en sortir! C'est compris?... Allons.

Ils retournèrent dans la grande salle du palais où, entre-temps, Eurymaque avait pris soin de chauffer et de graisser l'arc. Il le soupesa en fronçant des sourcils, le saisit et essaya de le tendre... sans succès. Une deuxième fois, une troisième fois, toujours en vain.

– Honte à moi! dit-il, le visage pourpre. Oui, honte à moi! Pas parce que je ne peux plus espérer épouser Pénélope, mais parce que je ne peux tendre l'arc d'Ulysse.

– Allons, allons! répliqua Antinoos. Que dis-tu là? Cela veut simplement dire que nous avons trop bu aujourd'hui. Ou peut-être qu'aujourd'hui, c'est la journée d'Apollon, le dieu archer. Qui pourrait l'imiter en pareil jour? Personne! Écoutez-moi!

Les prétendants l'écoutèrent tandis que Pénélope affichait un sourire moqueur plein de dédain.

– Cessons pour aujourd'hui. Nous essaierons de nouveau demain. Nous laisserons les haches bien plantées dans le sol et demain, nous recommencerons. Vous verrez, tout semblera plus facile. Et maintenant, buvons!

Ulysse prend l'arc, le tend et le relâche sans aucun effort.

– Antinoos a raison! approuvèrent-ils pendant que les servantes remplissaient les coupes de vin.

Bien que troublés, les prétendants se remirent à boire. Après la première coupe, leur découragement avait disparu. Demain, ils en étaient certains, l'un d'eux serait capable de tendre l'arc puissant!

Mais Ulysse, son capuchon rabattu sur sa tête, se leva et dit.

– Antinoos parle bien et il me semble juste que le concours soit ajourné jusqu'à demain. Mais si vous le voulez, nobles prétendants, permettez-moi d'essayer de tendre l'arc! Je ne ferai pas cet essai dans l'espoir d'épouser la belle et sage Pénélope... mais plutôt pour voir s'il me reste encore de la force dans les bras.

Un murmure général de protestation s'éleva. «Quoi? pensaient les prétendants, devons-nous nous mesurer à un va-nu-pieds?...»

– Écoute, vieil homme, s'exclama Antinoos en bondissant sur ses pieds, es-tu devenu fou? Cela ne t'est pas suffisant de vivre à nos crochets? Qu'est-ce que tu crois? Tes bras sont aussi faibles

que ceux de n'importe quel vieillard. Reste tranquille, mange et n'essaie pas de rivaliser avec de jeunes hommes!

– Antinoos, intervint Pénélope, tu ne peux pas traiter mes invités de la sorte. Je ne vois aucun mal dans la requête de l'étranger. De quoi as-tu peur? Que j'accepte de l'épouser s'il réussit?

– Non, Pénélope, ce n'est pas ça, répondit Eurymaque en se levant. Mais si ce vagabond réussit, nous serons tous humiliés. Les gens diront alors: «Les prétendants ont été incapables de tendre un arc, mais un vieillard l'a fait sans effort!»

– Peu importe, rétorqua Pénélope, si l'étranger désire essayer, qu'il le fasse!

Tandis que les murmures de mécontentement se poursuivaient de la part des prétendants, Télémaque se leva et dit:

– Mère, ce sont là des affaires d'hommes. Je te prie de retourner à tes appartements, et de nous laisser nous inquiéter des arcs et des flèches.

Surprise par les paroles de son fils, Pénélope n'osa pas répondre et, se couvrant la tête de sa mante, retourna dans ses appartements suivie de ses servantes. Après un long accès de désolation, elle alla se coucher, car Athéna avait versé un doux sommeil sur ses yeux.

Dans la grande salle, entre-temps, parmi les protestations des prétendants, Eumée, suivant les ordres de Télémaque, apporta l'arc à Ulysse qui l'examina attentivement, faisant fi des insultes et des cris de protestation. Personne n'avait remarqué qu'à un signal d'Eumée, Philœtios avait verrouillé toutes les portes!

Les cris et les insultes continuaient. Et tous, en silence, regardèrent le vieillard inspecter l'arc.

– Le vieillard a l'air de s'y connaître! s'étonna quelqu'un.

Soudain, Ulysse saisit l'arc et, sans le moindre effort, le tendit, faisant vibrer la corde entre ses doigts. Les prétendants retinrent leur souffle tandis que, calmement, Ulysse choisit une flèche. Ensuite, il tira de nouveau la corde... visa et relâcha la corde. La flèche fut tirée... et ne manqua pas sa cible. Avec un léger sifflement, elle glissa dans chacun des douze anneaux et alla se planter dans le mur, de l'autre côté!

CHANT XXII

Tout se passa en une fraction de seconde. Alors que les prétendants, surpris, fixaient toujours la flèche, Ulysse rejeta les haillons qui le couvraient et, déjà, à ses côtés, Télémaque saisissait une lance et brandissait son épée. Arc en main, Ulysse s'écria :

– Le concours est terminé! Et maintenant, je vais devoir viser une autre cible!

Il souleva son arc, tendit la corde et lâcha une flèche qui, avec un sifflement sinistre, s'enfonça dans la gorge d'Antinoos. Le jeune noble s'effondra, renversant sa chaise. Un hurlement d'horreur s'éleva parmi les prétendants et tous bondirent sur leurs pieds. Se cognant les uns dans les autres, ils se précipitèrent vers le mur où, jusqu'à il y avait peu de temps, les armes étaient suspendues... Ils n'en trouvèrent aucune.

– Étranger, tu es devenu fou?... cria quelqu'un.

Ils refusaient encore de croire qu'Ulysse venait de tuer Antinoos. Mais, lançant une autre flèche, Ulysse tonna :

– Chiens sales! Vous pensiez que je ne reviendrais jamais, n'est-ce-pas? Eh bien, me voici! Votre fin est arrivée!

– Ulysse, implora soudain Eurymaque, écoute. Tu as tué Antinoos et c'était lui l'instigateur. Maintenant qu'il est mort, justice est faite. J'admets que nous avons eu tort. Et nous devrons te rendre tout ce que nous t'avons pris. Mais permets-nous de partir!

Ulysse soulève l'arc et tire une flèche dans la gorge d'Antinoos.

– Non, rien ne peut réparer l'offense que vous m'avez faite. Vous n'avez qu'un seul choix, vous battre ou mourir! Mais aucun de vous ne s'en tirera!

Les prétendants demeurèrent pétrifiés, sauf Eurymaque qui, tirant sa dague, s'écria :

– Alors, mes amis, nous ne mourrons pas sans combattre!

Il se précipita sur Ulysse, mais avant d'avoir fait un seul pas, une flèche le tua...

D'autres prétendants se précipitèrent en avant, désespérés, mais Télémaque les élimina tous avec sa lance. Puis, il cria :

– Père, défends-toi seul, je vais chercher les armes!

Et, pendant qu'Ulysse lançait flèche après flèche, Télémaque sortit de la grande salle et revint presque immédiatement avec des épées et des lances. Il les distribua à Ulysse, à Eumée et à Philœtios et, ensemble, ils firent face aux prétendants. Ces derniers se défendirent aussi bien qu'ils le pouvaient avec des couteaux et des outils, créant une espèce de barricade avec les tables qu'ils avaient renversées.

Soudain, Mélanthios, un porcher déloyal qui avait trahi son roi pour servir ces nobles gens arrogants, vint à leur rescousse. Mélanthios connaissait bien le palais. Il sortit de la grande salle, se rendit au dépôt d'armes, prit plusieurs lances et s'empressa de les apporter aux prétendants. Maintenant armés, ils foncèrent sur Ulysse, Télémaque, Eumée et Philœtios. À quatre contre autant de gens, ce combat devenait illégal. Mais Athéna apparut aux côtés d'Ulysse.

– Où est ta force? Où est cet esprit qui a su repousser les Troyens? lui dit-elle.

Ulysse poussa alors un cri et se lança sur les prétendants. Ils tentèrent de se défendre... mais en vain!

Phémios, l'aède, est épargné par Ulysse.

– Projetez tous vos lances en même temps, ordonna Ulysse.

Et Télémaque, Eumée et Philœtios jetèrent leurs lances et renversèrent l'ennemi. Les prétendants reculèrent en désordre, à l'autre bout de la grande salle, mais, de désespoir, ils se ruèrent de nouveau à l'attaque. L'invisible Athéna rendit tous leurs coups inutiles. Et, un par un, ils tombèrent dans leur propre sang.

Le massacre fut bref. Plusieurs prétendants, au lieu de combattre, tentèrent de s'échapper, mais ils se rendirent vite compte que les portes étaient bien verrouillées. Certains supplièrent d'avoir la vie sauve, mais Ulysse ne les écouta pas.

La grande salle où l'on avait tenu tant de banquets joyeux résonnait maintenant de cris, de gémissements et de supplications. Certains essayèrent de trouver un abri sous les tables, mais en vain, car on allait les y chercher pour les massacrer. Ensemble avec leurs seigneurs, les échansons, les serviteurs et les servantes furent tous tués. Ulysse, Télémaque et leurs fidèles porchers se tinrent droits, éclaboussés de sang, au milieu de la grande salle tragique où tant d'hommes morts reposaient.

Soudain, Phémios, l'aède, dit d'une voix faible :

– Aie pitié de moi, Ulysse ! Épargne ma vie ! Tu souffriras de remords éternels si tu me tues, moi, pauvre aède, parce que les dieux m'ont enseigné à chanter et que je chante pour tous les hommes !

– C'est vrai, acquiesça Télémaque. Épargne-le, père. Il est innocent. Et si Médon, le héraut, est encore en vie, épargne-le, lui aussi.

À ces mots, Médon, terrorisé, sortit de sous la peau de bœuf où il se cachait et implora :

– Télémaque, mon garçon, protège-moi !

– Calme-toi, dit Ulysse. Tu es sauf. Mais maintenant, prends Phémios avec toi et va !

Tous deux sortirent par la porte que Philœtios avait ouverte.

Ulysse, suivi de Télémaque, traversa la grande salle lentement pour s'assurer qu'aucun des prétendants n'avait échappé à sa vengeance. Non, ils étaient tous bien morts.

– Télémaque, ordonna-t-il, appelle Euryclée. Je dois lui parler.

Le jeune homme obéit et bientôt la vieille nourrice apparut sur le seuil de la porte de la grande salle ensanglantée. Lorsqu'elle vit les corps des prétendants empilés les uns sur les autres, elle poussa un grand cri de joie. Mais Ulysse la réprimanda durement :

– Réjouis-toi en silence, nourrice ; il est impie de triompher sur des hommes abattus. Maintenant, ordonne aux servantes d'enlever les corps et de nettoyer la grande salle. Puis, apporte du soufre et du feu afin de purifier cette chambre !

– Oui, mon enfant, je t'apporterai une tunique et un manteau, dit Euryclée, car il n'est pas digne de toi de porter ces haillons !

– Je veux d'abord le feu ! ordonna Ulysse.

Et les servantes et les serviteurs qui lui étaient restés fidèles se précipitèrent pour voir leur roi. Ils s'attroupaient autour de lui et s'agrippaient à ses genoux.

Euryclée monte les marches du palais en courant.

CHANT XXIII

Entre-temps, Euryclée s'étaient précipitée jus-qu'en haut des marches du palais.

– Pénélope! Pénélope! cria-t-elle en s'élançant dans la chambre où la reine était toujours endor-mie sous le sort d'Athéna. Pénélope, viens voir! Ce que tu as souhaité pendant des années et des années est finalement arrivé. Ton époux est ren-tré et il s'est vengé des prétendants!

Pénélope s'éveilla, troublée.

– Te moquerais-tu de moi, bonne dame? Pour-quoi m'as-tu réveillée? Ne sais-tu pas que le som-meil m'est précieux, car il soulage ma peine?

– Non, non, répondit Euryclée en secouant ses vieilles mains ridées. Je ne te manque pas de respect. Mais c'est vrai! Viens voir par toi-même! Ulysse, le divin Ulysse est revenu! C'est ce vieil-lard, cet étranger avec qui tu as parlé, hier! Télé-maque le savait, mais il n'en a rien dit comme on le lui en avait donné l'ordre!

– Ulysse est donc revenu? s'exclama la reine, perplexe, en sautant en bas de son lit. Mais com-ment a-t-il pu lutter seul contre tous les préten-dants?...

– Je ne sais pas, mais j'ai vu qu'il les avait tous tués.

– Comment est-ce possible, un homme seul?

– Crois-moi, ma reine, je ne mens pas. Viens voir. Descends, tu verras... Ulysse est de retour. Nos peines sont finies!

Sans perdre plus de temps, les mains trem-blantes, Pénélope s'habilla et mit une cape. Elle craignait qu'Euryclée n'ait perdu l'esprit. Elle avait peur d'être de nouveau déçue. Lentement, elle traversa le long corridor, essayant de repous-ser les folles palpitations de son cœur. Des pen-sées se bousculaient dans sa tête. Que devait-elle faire? Se jeter dans les bras d'Ulysse?... Et si cet homme n'était pas Ulysse, mais un dieu déguisé, venu pour la décevoir? Ou un étranger de plus qui s'était débarrassé des autres prétendants pour l'amener au loin?... Comment serait-elle capable de reconnaître son mari dans la lumière du jour qui faiblissait?

Euryclée raconte à Pénélope ce qui s'est passé.

Enfin, la terrible journée tirait à sa fin et le soleil s'était couché. Au palais, où l'odeur du soufre et du feu persistaient, des torches avaient été allumées. Pénélope était arrivée sur le seuil de la grande salle et restait là, immobile. Ulysse se tenait dos à une immense colonne. Pénélope s'approcha et s'assit en face de lui.

Le silence régnait. Personne n'osait parler. Ulysse attendait que Pénélope parle en premier, mais elle n'était pas encore convaincue que cet homme couvert de haillons, encore tout éclaboussé de sang, était ce mari qu'elle avait tant attendu. Télémaque dit alors:

– Mère, ton cœur est-il si dur que tu ne te précipites pas dans les bras de mon père? Pourquoi ne parles-tu pas?

– Mon cœur n'est pas dur, mon fils, répondit Pénélope à voix basse. Il est simplement rempli d'anxiété. Mes yeux ne peuvent pas voir comme il faut et ma voix est trop faible pour poser des questions. Mais, ajouta-t-elle, si cet homme est vraiment Ulysse qui est revenu dans son pays,

Pénélope court se jeter dans les bras d'Ulysse.

alors nous devrions nous comprendre parfaitement l'un l'autre, car nous avons partagé bien des secrets.

En entendant ces mots Ulysse dit en souriant:

– Ta mère dit vrai, Télémaque. Va et laisse-nous seuls. Ou plutôt, concentre ton attention sur ce qui arrive à Ithaque. La nouvelle que les prétendants sont morts a dû se répandre dans toute la ville. Va, Télémaque, répéta-t-il, et laisse-moi avec ta mère. Mais avant, ajouta-t-il en le retenant par le bras, je veux que toi et tous ceux de ce palais, vous vous prépariez à un grand festin. Et laisse les éades chanter. Fais comme je le dis!

Télémaque fit un signe de la tête et sortit. Bien vite, l'écho des chants résonnait dans le palais et, comme Ulysse l'avait ordonné, les fidèles servantes et les échansons commencèrent à danser.

Pendant ce temps, Pénélope n'avait toujours pas bougé. Ulysse quitta la grande salle et revint peu de temps après, s'étant lavé du sang, de la poussière et de la sueur qui souillaient son corps. Il avait pris un bain et mis ses plus beaux vêtements. Voyant que Pénélope n'avait pas bougé, il dit:

– Ah! Tu as en effet le cœur dur, Pénélope! Aucune autre femme ne serait restée là, comme toi, sans bouger, si son mari était revenu après une absence de vingt ans! Euryclée, ajouta-t-il en se tournant vers la nourrice, prépare mon lit. Je dormirai seul, cette nuit, car ma femme a un cœur de pierre dans la poitrine.

– Non! s'exclama Pénélope, sans pour autant se lever. Je n'ai pas un cœur de pierre. Je sais parfaitement à quoi ressemblait mon mari quand il est parti à la guerre. Oui, Euryclée, prépare le lit d'Ulysse. Couvre-le des plus belles couvertures et sors-le de sa chambre!

– Sortir mon lit de ma chambre? s'étonna Ulysse. C'est impossible! Qui pourrait déplacer mon lit?... Personne, car mon lit est taillé dans le tronc d'un immense olivier qui a encore ses racines bien profondes en terre. J'ai construit ma chambre autour de ce lit. Dis-moi, Pénélope, qui pourrait soulever une telle couche?

En entendant ces paroles, Pénélope se leva d'un bond.

– Ulysse! s'exclama-t-elle d'une voix tremblante, mon mari, ne m'en veux pas! Je voulais te soumettre à une épreuve, car, si tu m'avais déçue, je n'aurais pu le supporter et mon cœur en aurait été brisé. Oui, maintenant je sais que tu es vraiment mon mari que j'aime et que j'ai attendu si longtemps!

Pleurant de joie, elle courut se jeter dans les bras d'Ulysse.

Ulysse parla à sa femme toute la nuit. Il lui raconta tout ce qui lui était arrivé pendant ses vingt années d'absence. Il lui raconta comment il avait dû affronter les Cicones et visiter le pays des Lotophages. Il lui parla de sa rencontre avec Polyphème, le cyclope sans merci qui avait dévoré certains de ses meilleurs hommes, et l'hospitalité d'Éole qui lui avait donné une outre en cuir remplie des vents de tempête... Pénélope l'écoutait, fascinée. Il lui parla de Circé, la déesse magicienne qui avait transformé tous ses compagnons en porcs. Il lui raconta comment il avait pénétré dans le Royaume de la mort pour consulter l'âme de Tirésias, et comment il avait rencontré là les âmes de bien des amis qui étaient tombés sous les murs de Troie, et le fantôme de sa mère qui était morte de chagrin.

Il lui parla des sirènes et de leurs chants qui ensorcelaient les hommes et les conduisaient à leur mort; et de la dangereuse passe entre Charybde et Scylla et, finalement, comment ses hommes, les misérables âmes, avaient massacré les vaches sacrées d'Hypérion, provoquant ainsi la colère des dieux.

– ... alors je suis resté seul m'agrippant à un morceau d'épave dans les mers tumultueuses. Je ne sais comment j'ai échappé à la mort. J'ai pu atteindre l'île de la nymphe Calypso. Elle voulait me garder avec elle pour toujours; elle voulait me rendre immortel, disait-elle, et éternellement jeune. Mais du jour où je suis parti pour la guerre, j'ai gardé dans mon cœur une terre et une femme. La terre était mon pays et la femme, c'était toi, Pénélope.

Ainsi passèrent les heures de la nuit et Ulysse parlait encore quand les étoiles s'effacèrent une par une et que le ciel tourna au rose. Au lever du soleil, Ulysse dit en se levant:

– Pénélope, je ne pourrai pas dire que je suis vraiment revenu dans mon pays tant que je n'aurai pas serré mon vieux père dans mes bras. Je dois donc aller le voir. Je tiens d'Eumée qu'il vit dans une cabane et qu'il soigne un petit champ et un verger, travaillant comme un paysan. Je dois aller le voir, mais, toi, reste ici, au palais. Parmi les prétendants, beaucoup étaient nobles à Ithaque, et il est possible que leurs familles cherchent à se venger. Il est préférable de rester sur tes gardes. Demeure dans tes appartements et ne parle à personne.

Pénélope s'empressa d'obéir, et Ulysse alla rejoindre Télémaque, Eumée et Philœtios.

– Habillez-vous pour le combat, leur ordonna-t-il.

Le père d'Ulysse, Laerte, s'occupe d'un petit champ et d'un verger.

Ils firent comme on le leur avait commandé et les quatre, épée sur la hanche et lance en main, sortirent du palais.

CHANT XXIV

Traversant les champs encore déserts et les oliveraies sur les collines, le groupe atteignit la petite ferme où Laerte s'était retiré après le départ de son fils pour la guerre. Laerte vivait dans une modeste cabane avec une vieille servante — la fidèle Sicula — et une esclave. En arrivant, Ulysse leur dit:

— Préparez un banquet et tuez le plus gras des porcs que vous avez. Pendant ce temps, je vais voir mon père. Je veux voir s'il me reconnaît après une si longue absence.

Déposant ses armes, Ulysse partit au champ où il vit un homme seul, penché sur sa binette. Son cœur bondit dans sa poitrine et ses yeux se remplirent de larmes... Son père! Il avait envie de courir vers lui et de le serrer dans ses bras, mais il se maîtrisa et, caché derrière un arbre, essaya de contenir ses émotions. Avant de dévoiler qui il était, il vérifierait l'affection et les souvenirs de son père à son égard. Sortant de sa cachette, Ulysse s'approcha du vieil homme.

— Eh, vieil homme, lança-t-il, ton verger est magnifique. Je vois que les arbres sont bien soignés et que les plates-bandes viennent tout juste d'être binées. Cependant, ajouta-t-il, tu es le contraire de ton verger.

— Que veux-tu dire par là, étranger? répondit Laerte, surpris.

— Je veux dire que tu ne t'occupes pas bien de toi! Tu es sale et tes vêtements usés n'ajoutent rien à ton apparence de vieillard. Pourtant, en te regardant de plus près, tu ne ressembles pas à un esclave. Dis-moi, est-ce ton maître qui te maltraite ainsi? Et qui est ton maître? Dis-moi aussi autre chose. Cette terre sur laquelle j'ai débarqué, est-ce vraiment Ithaque? Tu vois, poursuivit-il, je connaissais un prince qui vivait à Ithaque, il s'appelait Ulysse. Je n'en ai plus jamais entendu parler. Je ne sais même pas s'il est mort ou vivant... Je me souviens par contre qu'il avait un père, un bon père qui s'appelait Laerte, si ma mémoire est bonne. Peux-tu me donner des nouvelles, vieil homme?

À ces mots, Laerte ne put contenir ses larmes.

— Étranger, répondit-il, tu as bien parlé. Tu es en effet sur l'île d'Ithaque. Une fois, sur cette terre, régnait un homme vaillant et sage. Maintenant, comme tu peux le voir, elle est entre les mains de fous.

— De fous? Comme c'est malheureux!

— Malheureux et triste, oui. Mais tu as dit que tu connaissais Ulysse... Dis-moi, quand l'as-tu rencontré?

— Pourquoi veux-tu le savoir?

— Parce que je suis son père! répondit Laerte. Oui, Ulysse était mon fils. Mais il est mort, maintenant, j'en suis certain, même si, parfois, je me refuse à y croire. Mon fils a dû mourir pendant son voyage de retour de Troie, tué sur terre dans une quelconque embuscade ou noyé en mer... Quel triste destin, sans même avoir des funérailles décentes.

— Il est impossible de dire ce que fut le destin d'un homme, vieil homme! répondit Ulysse.

— C'est vrai, mais maintenant, nous n'espérons plus. Même Pénélope, la femme d'Ulysse, n'espère plus rien. Elle lui est demeurée fidèle pendant de nombreuses années, décevant ses prétendants détestables, ses admirateurs... mais

poir. Ulysse était incapable de se contenir plus longtemps.

– Non, mon père! cria-t-il. Ne pleure pas! C'est moi, Ulysse! Je suis ton fils!

Laerte leva la tête, inquiet, et Ulysse le serra dans ses bras.

– Ne pleure pas! Je suis de retour! Et avec l'aide d'Athéna, de mon fidèle porcher, Eumée, du bon Philœtios et, surtout, avec l'aide de Télémaque, mon fils, je me suis vengé des prétendants qui ont offensé ma femme!

– Tu t'es vengé des prétendants?

– Oui, aucun d'eux n'est encore en vie!

– Comment as-tu pu faire ça?... N'es-tu pas un dieu ayant pris l'apparence d'un mortel?... Ou un homme cruel venu pour me décevoir?

– Je suis ton fils!

Se reculant, le vieillard lui demanda cependant:

– Es-tu vraiment mon fils?... Prouve-le, ajouta-t-il. Donne-moi une preuve qui me permette de te croire!

Comme il l'avait fait pour Euryclée, Ulysse découvrit sa jambe.

– Regarde, père, cette cicatrice a été faite par la défense blanche d'un sanglier lorsque je chassais à Parnassos. Tu ne me crois toujours pas? Je te dirai alors que je me souviens très bien du jour où tu m'as amené visiter le verger quand j'étais très jeune, et que, pour rire, tu m'as donné plusieurs arbres... treize poiriers, dix pommiers et quarante figuiers. Tu m'avais dit: «Je te donnerai cinquante rangs de vignes qui mûriront à différents moments afin que tu aies du raisin pendant toute l'année!»

Laerte manqua s'évanouir dans les bras de son fils et, bégayant, dit:

– Oui, oui, les dieux existent sur l'Olympe! Tu es enfin revenu et tu t'es vengé de ceux qui t'avaient offensé pendant tant d'années! Mon fils, mon seul espoir! Mais Ulysse, ne crains-tu pas la vengeance des familles des prétendants?

– Nous penserons à tout cela plus tard. Viens, père, allons à ta cabane. Télémaque et les autres nous y attendent.

Tous deux enlacés, ils allèrent à la cabane où leurs compagnons les attendaient. Pendant qu'Ulysse mangeait avec son père, une grande clameur s'élevait en ville — des cris, des lamentations, des questions.

elle devra se décider, tôt ou tard, à épouser l'un d'eux. Et alors, tout sera perdu pour toujours, conclut-il lugubrement.

Laerte reprit sa binette et, quelques instants plus tard, demanda de nouveau:

– Mais, dis-moi, étranger, qui es-tu? De quel pays viens-tu? Es-tu venu sur ton propre vaisseau ou quelqu'un t'a-t-il conduit ici?

– Je m'appelle Épéritos et je viens d'Alybos, dit Ulysse. Mais il sut alors qu'il ne pouvait plus continuer dans cette voie. Il avait trouvé ce qu'il voulait savoir, que son père aussi l'avait gardé dans son cœur et dans son esprit.

– Et quand as-tu vu Ulysse pour la dernière fois?

– Il y a cinq ans.

– Cinq ans! s'exclama Laerte et, accablé par la tristesse et l'angoisse, il lâcha sa binette et laissa retomber sa tête blanche en sanglotant de déses-

Ulysse, Pénélope et Télémaque sont enfin réunis et heureux.

Les rumeurs s'étaient répandues à l'effet que les corps des prétendants étaient couchés dans la cour du palais. Leurs familles et amis, attroupés derrière la porte verrouillée du palais, insistaient pour entrer, au moins pour prendre le cadavre de leur mort.

Et il en fut ainsi. Parmi les larmes et les cris, chaque famille chercha le corps sans vie de son parent et l'amena. Mais bientôt, les cris de tristesse firent place à la colère.

— Non, nous ne pouvons accepter un tel massacre! Si nous ne vengeons pas la mort de tant de jeunes, nous serons couverts de honte dans toute la Grèce! cria Eupithès, le père d'Antinoos.

— Que suggères-tu que nous fassions, alors?

— Armons-nous, cherchons Ulysse et tuons-le!

— Oui! Oui! crièrent certains, qu'on le tue!

Mais d'autres, plus prudents, dirent:

— Non, Ulysse a eu raison de se venger. Pendant trop longtemps, sa femme a été insultée et ses biens, dilapidés.

— Sans l'aide d'un dieu, s'exclama Phémios, qui était parti du palais avec Médon, Ulysse n'aurait pas pu combattre seul contre tant d'ennemis!

— C'est vrai, affirma Médon. J'ai vu une lumière à ses côtés! C'était Athéna! Vous ne pouvez pas combattre contre Athéna!

— Athéna ne nous arrêtera pas! cria Eupithès et, avec un groupe d'hommes armés, il se dirigea vers la cabane de Laerte, car il savait qu'Ulysse y était. La guerre civile était sur le point d'éclater à Ithaque. Ulysse était-il donc revenu pour déclencher une série de vengeances sans fin?...

Non. Athéna avait tout vu et tout entendu. Et, se tournant vers Zeus, elle lui demanda quel était le vœu du père des dieux et de tous les hommes. Zeus répondit:

— Qu'Ulysse règne en paix. Que la mort soit pardonnée et que la paix, la sagesse et la prospérité reviennent à Ithaque comme avant! Athéna revint sur l'île juste au moment où Ulysse, s'étant armé en hâte, transperçait le corps d'Eupithès d'un coup de lance. Ce devait être la dernière mort, car des cieux, Zeus envoya un éclair aveuglant sur terre en guise d'avertissement, et Athéna calma la soif de vengeance.

Les armes furent donc mises de côté et on se serra la main en signe de réconciliation. Le retour d'Ulysse marqua le début d'une nouvelle ère de paix et de bonheur sur Ithaque.